꿈이 있는 아내는 늙지 않는다

꿈이 있는 아내는 늙지 않는다

김미경 지음

살림과 육아, 맞벌이 때문에 덮어둔
나의 꿈을 되살리는 가슴 뛰는 메시지!

출판의 名家 명진출판

결혼 이후 발견한 꿈의 씨앗이
오늘의 나를 만들었다

스물아홉 살 때 기업 교육 강사를 시작해 지금까지 16년 동안 강의를 해온 나는 매달 만 명에 가까운 새로운 사람들을 만나 그들이 일과 인생에서 성취와 변화를 이끌어내도록 노력하고 있다. 물론 그 과정에서 나 역시 변화하고 성취한다. 일과 사람들을 통해 배우는 것이 너무 많기 때문이다. 내가 교육 강사라는 나의 직업에 감사하는 이유도 바로 이 때문이다.

특히 작년부터 시작한 텔레비전 강의는 내게 새로운 눈을 뜨게 해주었다. 그동안 기업 강의를 통해 만난 여성들이 주로 '워킹맘'이었다면 방송을 통해 '전업맘'들을 만날 수 있었다.

강의를 하려면 일주일에 적어도 30시간 이상은 강의 만드는 일에 몰두해야 한다. 1시간짜리 강의를 하려면 A4용지 15장에서 20장을 새로운 단어로 메워야 하는데, 기업 강의 일정을 그대로 유지하면서 방송 강의를 진행하려니 너무 벅차고 힘들었다. 그럼에도 40회에 가까운 방송 강의를 끝까지 마칠 수 있었던 가장 큰 원동력은, 방송 강의를 본 후 편지나 홈페이지를 통해 자신의 삶을 진솔하게 털어놓는 여성들 때문이었다.

그들이 삶에서 겪는 고민과 갈등이 내 것과 다르지 않아 나에게 더 절실하게 전해졌다.

지금까지 열심히 살아왔다고 생각하지만 인생에서 뭔가 잃어버린 듯한 느낌, 충만하지 못한 상태가 특별히 당신에게만 있는 게 아니라 우리 모두 경험하고 함께 짊어지고 있음을 알려주고 싶었다. 그리고 내가 가지고 있는 경험과 노하우가 그들이 '새롭게 도전할 수 있는 용기'를 내고, '변화의 실행력'을 이끌어내는 데 어쩌면 꽤 도움이 될 수도 있겠다는 생각을 하게 되었다. 그렇다면 내가 아무리 힘들어도 끝까지 에너지를 쏟을 만한 가치 있는 작업이라 생각했다.

사랑을 알게 되는 나이가 되면 여자들은 대부분 그 '사랑'에 인생을 건다. 사실 나 역시 그랬다. 20대 시절, 사랑이 전부였고 내 꿈이 무엇인지에 대해선 별 생각이 없었다. 꿈이라는 것이 인생의 가장 중요한 동력이라는 것은 생각조차 하지 못했다.

'꿈'이라는 놈이 나를 다시 찾아온 것은 아주 우연한 기회였다. 사람의 일이란 늘 어느 날 갑자기 시작된다. 그 어느 날 나는 큰 기대 없이 한 강의에 참석하게 되었다. 돌이켜보면 그날은 내 인생에서 꼭 기억해야 할 날이다. 그날 내가 그동안 어디에다 잃어버리고 다녔는지 알지도 못한 그 꿈이라는 놈이 바람처럼 날아와 내 가슴에 씨앗이 되었다. 나는 강의 시간 내내 그 강사를 뚫어지게 바라봤다. 가슴이 두근거렸다.

"세상에, 성직자도 아닌 사람이 이렇게 사람 마음에 희망과 용기를 줄 수 있다니…. 나도 저렇게 사람의 마음을 움직일 수 있는 사람이 되고 싶다."

그날부터 어떻게 해야 '사람의 마음을 움직일 수 있는 사람'이 될 수 있을지 연구하기 시작했다. 먼저 커다란 책장부터 두 개 샀다. 거실이 꽉 들어찼다. 그것을 본 주변 사람들은 다들 한마디씩 했다.

"책부터 사야지 책장부터 사는 사람이 어디 있어?"

그러나 나는 생각이 달랐다.

'지금 비어 있는 큰 책장은 현재의 내 모습이다. 책장에 책들이 빽빽이 들어차듯 나 자신도 지금부터 한 칸 한 칸 채워갈 것이다. 아마도 저 책장이 다 채워지는 날이면 나는 다른 사람의 마음을 1센티미터라도 움직일 수 있는 사람이 되어 있을 것이다.'

결혼한 여성들을 만나 대화하다 보면 "내가 누구인지 모르겠다"는 말을 많이 듣는다. 그러나 나는 여성들이 잃어버린 것은 '나'가 아니라 '나의 꿈'이라고 대답한다. 나의 꿈을 다시 찾는다면 내가 누군지는 금방 알게 된다고 대답한다.

물론 "잃어버린 꿈을 다시 발견하라"는 메시지는 일상에 치여 사는 아내들에겐 너무나 비현실적인 말로 들릴 수 있다. 아내들은 대부분 "결혼과 함께 내 꿈은 접었다"고 말한다. 그리고 다시 태어나면 결혼하지 않고 독신으로 살고 싶다는 말을 한다. 그러나 내 생각은 다르다. 독신으로 산다고 모두 자신의 꿈을 이룰 수 있을까? 중요한 것은 '지금, 여기'에서 최선의 것을 얻는 것이다.

꿈은 근사하고 거창한 것에만 해당되는 것은 아니다. 집 평수를 더 늘리는 것, 마트의 매니저가 되어 월급이 인상되는 것, 공인중개사 자격증을 따는 것, 매달 보험 실적을 하나씩 늘려가는 것, 다른 사람들을 위해 봉사활동을 하는 것 …, 이런 사소해 보이고 현실적으로 보이는 것 모두 소중한 꿈이다.

그러나 아내들이여, 꼭 한 가지는 기억해야 한다. 가족이 모두 건강하길 바라고, 남편의 승진을 바라고, 아이의 성적이 좀 더 오르길 바라는 것은 당신의 소망은 될 수 있어도 꿈은 될 수 없다는 것을. 왜냐하면 그것들은 온전히 당신의 노력으로 얻어지는 것이 아니기 때문이다.

내가 지금부터 전하려는 이야기는 내 가슴속에 품은 꿈의 씨앗이 어떻게 세상에 싹을 틔우고 꽃을 피웠는지에 대해서다. 내 꿈의 여린 이파리들이 세상의 바람과 비에 어떻게 맞서 싸웠는지, 그를 통해 얼마나 단단해졌는지 그리고 그 과정에서 얻은 것은 무엇인지에 대해서다. 지난 10여 년의 시간을 지나면서 여자의 꿈은 남자의 꿈보다 훨씬 더 단단해야만 비와 바람에 꺾이지 않고 승리할 수 있다는 사실을 잘 알게 되었기 때문이다.

우리 여성들은 특유의 케어 본능을 가지고 있다. 돌보고 키우는 일에는 우리 여성들을 따르지 못한다. 꿈도 마찬가지다. 우리의 꿈은 우리가 키우고 돌봐주자. 무엇 때문에 못한다고 말하지 말자. 우리는 우리 자신을 놀라게 할 수 있는 힘을 충분히 가지고 있다. 꿈을 잃지 않은 사람은 언젠가 자신을 놀라게 한다.

김미경

DREAMS

팔자나 운명을 바꾸는 최고의 방법은 당신의 꿈에 집중하는 것이다. 하루에 천 리를 갈 수 있는 명마도 있지만 느린 말 역시 쉬지 않고 열심히 달리면 천 리에 도달한다.

꿈을 버리지 않은 사람은 언젠가 자신을 놀라게 한다

1
죽어가는 당신의 꿈을 구출하라

2
꿈은 당신의 미래를 책임질 충분한 자산

WORKS

근육을 단련하듯 꿈에 주파수를 맞추고 도전을 훈련하라. 당신이 꿈꾸는 그것은 당신이 저지르거나, 해내거나, 벌이지 않으면 이루어지지 않는다.

꿈의 목록이 길어질수록 인생은 매혹적일 수밖에 없다

3
당신의 꿈을 단단하게 키워가는 방법

4
꿈은 때때로 당신을 테스트한다

LOVE

잘 먹이고 잘 입히고 깨끗한 곳에 머물게 하는 것이 아내의 역할은 아니다. 가족들이 가치를 최대한으로 발휘할 수 있도록 이끌어주는 CEO. 그것이 바로 아내의 진정한 역할이다.

나의 소중한 사람들과 꿈의 날개를 나눠 달자

5

아내와 남편, 서로의 꿈을 향한 우정의 파트너

6
엄마는 아이의 첫 번째 역할 모델이자 최초의 멘토

DREAMS

꿈을 버리지 않은 사람은 언젠가 자신을 놀라게 한다. 팔자나 운명을 바꾸는 최고의 방법은 당신의 꿈에 집중하는 것이다. 하루에 천 리를 갈 수 있는 명마도 있지만 느린 말 역시 쉬지 않고 열심히 달리면 천 리에 도달한다.

꿈을 버리지
않은 사람은
언젠가 자신을
놀라게 한다

1
:

죽어가는 당신의 꿈을 구출하라

골든타임의 주인공이 되는 방법

       내 강의를 들은 사람들은 "어떻게 그렇게 강의를 잘하세요?" "어떻게 그렇게 잘 아세요?"라고 묻는다. 글쎄, "많이 보고, 듣고, 공부하고, 많이 준비한다"라는 말 외에 달리 답변할 말이 없다. 텔레비전 방송을 시작하고는 "선생님 강의를 듣다 보면 울다가 웃다가 정신이 없어요"라는 이야기를 많이 듣는다. 나는 지난 16년 동안 강의하면서 사람들이 언제 웃고 언제 우는지를 알게 되었다. 사실 알고 보면, 그들이 울고 웃는 것은 내가 울리고 웃겨서가 아니다. 내가 의도한 것과 관계없이 스스로 울고 웃는다. 내가 하는 이야기에 사람들이 울고 웃는 이유는 내 이야기가 자기 이야기와 같다고, 자신의 생각과 같다고 생각하기 때문이다. 아니나 다를까, 강의 후 시청자들에게 모니터링해보면 "어쩜 그렇게 내가 경험한 거랑 똑같아." "어쩜 그렇게 내 맘을 잘 알아?" "내 맘을 꿰뚫어보는 것 같아"라는 의견이 많다. 그런 반응을 들으면 다시 한 번 내 삶에 감사하게 된다.

내가 처음부터 많은 것을 가지고 있었고 풍족한 환경이었다면, 그 숱한 경험을 직접 해보지 않았다면 삶의 흔적이 묻어나는 강의를 할 수 없었을 것이다. 사람들과 공감할 수 있는 강의, 귀 기울여 들을 만한 이야기를 할 수 없었을 것이다.

그래서 요즘도 회사를 경영하다가 어려움이 있을 때마다, 한 번도 해보지 못한 일을 할 때마다 그리고 한계에 다다를 때마다 '이 고비를 넘기고 나면, 이 고생을 끝내고 나면, 이 과정이 지나고 나면 사람들을 울리고 웃길 이야깃거리가 또 많이 나오겠구나. 이게 다 내 자산이며 내 능력의 토양이 되어줄 거다'라고 생각한다. 그리고 그 과정을 기꺼이 받아들이며 순간순간을 넘긴다.

경험이 능력으로 승화되는 순간이 온다

대한민국에서 '아내'라는 이름으로 살아가는 여성들은 꽤 쓸모 있는 경험을 한다. 여자로, 아내로, 엄마로, 주부로,

며느리로, 자식을 키우는 딸로 숱한 일을 경험하면서 산다. 그리고 그런 경험을 통해 노하우와 역량을 많이 쌓는다. 그런데도 대부분 자신의 인생이 허무하다고 생각한다. 나이 쉰이 되면 그들이 마주앉아서 가장 많이 하는 말이 "우리가 이 나이까지 살면서 해놓은 게 뭐가 있니?"이다. 그러면서 한편으로는 "얘, 내가 여태까지 살아온 거 말로 하면 한 달을 얘기해도 다 못하고, 책으로 쓰면 10권도 넘을 거야"라고도 한다.

참으로 앞뒤가 맞지 않는 이야기다. 책으로 쓰면 10권인데 왜 아무것도 해놓은 것이 없다고 할까? 여자들이 자신의 인생을 허무해 하고, 자신이 해놓은 것이 없다고 말하는 데에는 다 이유가 있다. 바로 10권 분량이나 되는 책 속의 주인공이 자기 자신이 아니기 때문이다.

책으로 쓰면 10권은 넘을 거라는 이야기에서 그녀들은 자신이 주도적으로 그 일을 했거나 그 일을 통해 성취감을 얻은 사람이 아니다. 이야기 속에서 그녀들은 누군가의 성취를 도와주었거나, 잘못되어 책임을 뒤집어썼거나, 누군가에게 상처를 받았거나 하는 사건의 배후인물이기 때문이다. 자신의 인생을 '조연'이나 '엑스트라'로 사는 것이다.

누군가의 성공을 돕거나 조연이 되는 것이 가치가 없는 것은 아니다. 하지만 인생에 대한 상실감과 허무감을 느끼게 되는 선택이라면 하지 말아야 하는 것이 아닌가!

'나는 운이 없어서' '나한테는 기회가 없어서'라고 말하며 다른 사람의 조연으로 살려고 이 세상에 태어난 것은 아니다. 내게도 기회가 오고, 운이 온다. 그러니 준비하고 있어야 한다.

사람에게는 누구나 골든타임이라는 것이 있다. 골든타임은 마음에 품고 있던 꿈이나 계획이 현실과 기가 막히게 맞아떨어지는 시점을 말한다.

우리 동네에 만두 가게가 하나 생겼다. 차를 타고 지나다 보면 커다란 솥에서 김이 모락모락 나는 것이 꽤 먹음직스럽게 보였다. 그런데 사려고 하면 묘하게도 타이밍이 맞아떨어지지 않았다. 길가에 잠깐 차를 세우고 만두를 사야 하는데, 길에 차가 너무 많이 주차되어 있었다. 그리고 딱 차를 대기 좋을 때나 걸어서 지나갈 때면 집에 먹을 것이 많아 사지 않았다. 그래서 '언젠가 저 가게에서 꼭 만두를 사야지'라고 마음먹었는데도 이런저런 이유로 1년이라는 시간이 후딱 지나가 버렸다.

그러던 어느 날, 모든 상황이 맞아떨어졌다. 주차할 자리도 있었고, 마침 애들은 만두를 먹고 싶다고 했다. 그래서 그 만두집에 갔더니 셔터가 내려져 있고 '폐업'이라는 글자가 붙어 있었다. 옆 가게에 물어보니 장사가 잘 안 되어 문을 닫았다는 것이다. 어쩌면 그 만두 가게 주인은 고객이 자기네 만두를 사가기만을 기다리다 지쳐서 폐업했을 수도 있다.

총알을 장전하지 않으면 기회가
왔을 때 쏠 수 없다

가끔 자신의 역량의 크기가 얼마 되지 않는데도 세상이 자신을 알아주지 않는다면서 일을 찔끔하다가 그만두는 여성들을 만난다. 대표적인 예가 보험사에서 근무하는 설계사들이다. 보험설계사들 가운데 60%가 1년 안에 회사를 그만두고 떨어져 나간다고 한다. 보험설계사라는 직업은 무척 유망한 직업이다. 자신의 노력 여하에 따라 1인 기업으로 성장할 가능성도 다른 어떤 직업에 비해 크다. 특히 여성에게 매우 적절한 직업이다.

최근 자산관리를 대신 해주는 전문가들이 점점 늘어나고 있고, 앞으로 더욱 늘어날 것으로 예상한다. 그래서 설계사들에게 강의할 기회가 있을 때마다 재무 설계, 부동산 정보, 증권 정보, 생애 설계, 노후 설계, 상속 같은 개인의 자산에 대해 많이 공부하며 앞날을 준비하라고 부탁한다. 특히 여성들의 경우 남자들에 비해 개인 인생 설계나 자산 관리에서 좀더 섬세하고 세심하게 접근할 수 있다. 대화하다가 말끝에 나오는 이야기, 그냥 안부인사로 나누는 이야기, 잡담하다 나오는 이야기에서 여성들은 다양한 것을 포착해내는 능력이 탁월하다. 기업에서도 여성 인력의 이런 점을 주목하고 있다.

발전 가능성이 많고, 더 다양한 분야로 성장할 수도 있는데 왜 설계사들 가운데 절반이 넘는 사람이 중도에 포기할까. 바로 자신에게

올 골든타임까지 기다리지 못하기 때문이다.

A라는 보험설계사가 고객에게 명함을 주고 6개월 동안 세 번 찾아갔다. A가 고객을 처음 찾아갔을 때 고객은 보험에 관심이 없었고, 두 번째 찾아갔을 때 고객은 보험을 들 상황이 아니었다. 세 번째 찾아갔을 때는 볼일 때문에 정신이 없는 상태였다. 그러다 그 고객에게 보험의 중요성을 깨닫게 되는 일이 생겼다. 친구 남편이 사고로 한창 공부해야 할 아이 셋과 전업맘으로 살아온 아내를 남겨두고 일찍 죽은 것이다. 당사자에게는 물론 주변에서 보기에도 청천벽력 같은 일이었다.

그런데 불행 중 다행히도 친구 남편이 죽기 전에 종신보험에 가입해놓았다. 친구는 보험금을 타서 애들 교육 계획을 세우고 남은 돈으로 학교 앞에 작은 분식집을 차릴 수 있었다. 그런 상황을 지켜본 고객은 '보험이 이렇게 중요하구나' 생각하며 보험에 들기로 결심했다. 그러곤 자신을 찾아왔던 보험설계사 A의 명함을 찾아 연락했다. 하지만 연락이 되지 않았다. 그런데 마침 지나가던 보험설계사 B가 초인종을 눌렀고, 고객은 B에게 보험을 들었다.

먼저 찾아왔던 보험설계사 A는 운이 나빴고 나중에 찾아온 보험설계사 B는 운이 좋은 것처럼 보이지만, B는 때마침 찾아온 골든타임을 맞이한 것이고, A는 골든타임까지 기다리지 못한 것이다.

만약 A가 그 고객을 다시 찾아갔거나 고객의 전화를 받았다면 고객은 A에게 보험을 들었을 것이다. 그리고 마침 그날 고객을 찾아왔던

B는 허탕을 쳤을 것이다.

운이 좋고 싶은가, 기회를 얻고 싶은가? 그렇다면 골든타임이 될 때까지 끊임없이 노력해야 한다. 어느 한 분야에서 두각을 나타내기 위해서는 7년이라는 시간이 필요하다는 연구결과도 있다. 능력을 키우면서 골든타임을 기다려야 한다. 골든타임이 올 수 있는 길을 닦으라는 것이다. 골든타임은 단순한 행운이 아니라 예측할 수 있는 결과다. 단지 운이 좋아서 성공하는 사람을 본 적이 없다. 또 단지 좋은 기회를 얻어서 꿈을 이룬 사람도 보지 못했다.

아내들이 10권 분량이나 되는 이야기 속에서 주인공이 되지 못하는 가장 큰 이유는 골든타임까지 노력하지 않고 포기했기 때문이다. 그래서 해놓은 게 없다고 말하는 것이다. "그래도 나는 해놓은 게 있어. 내 인생에는 업적이라는 것이 있어"라고 말하고 싶다면 지금부터 5년이나 10년 안에 올지도 모를 골든타임을 위해서 자신의 시간과 에너지를 투자해야 한다.

나는 근거 있는 남자를 좋아한다

나는 고등학교 1학년 때부터 연세대학교에 들어가는 것을 목표로 삼았다. 서울대가 아니고 연세대를 목표로 한 이유는 분식집에서 본 텔레비전의 한 장면 때문이었다. 친구들과 어울려 매운 쫄면을 하하거리며 먹던 토요일 오후, 식당 텔레비전에서는 '연고전'을 중계하고 있었다.

청주에 있는 대학생만 봐도 마음이 설렜는데 연대생들과 연대 응원단인 '아카라카'의 에너지 넘치는 모습은 나를 단번에 사로잡았다. 매운 쫄면 때문이었는지도 모르지만 그들의 열정적인 모습에 내 가슴은 쿵쾅거리며 뛰기 시작했다. 특히 금장 달린 빨갛고 파란 재킷에 하얀 주름치마를 입고 속옷이 보일 정도로 펄쩍펄쩍 뛰면서 춤추는 치어리더들한테서 눈을 뗄 수 없었다. 그날 이후 연대생이 되겠다는 것이 내 첫 번째 목표였고, 두 번째 목표는 아카라카에 가입하는 것이었다.

드디어 1983년 3월, 꿈에도 그리던 연세대학교 작곡과에 입학했다. 그렇지만 입학 첫날에는 그다지 유쾌하지 않았다. 입학식장에 들어서자마자 세련되고 예쁘게 차려입은 서울 애들에게 주눅이 들었다. 그날 나는 빨간 체크무늬 치마에 밤색 재킷을 입고 거기에 맞춰 빨간 구두를 신었다. 양장점을 하시던 엄마가 대학생이 된 기념으로 '서울 애들한테 기죽지 말라'고 지어주신 옷이었다. 나름대로 멋을 부린 건데 서울 애들과 있으니 촌스럽기 그지없었고 오히려 아줌마 같아 보였다. 나 말고도 촌스럽게 입고 있는 애들이 몇 명 있었는데 속으로 '저 애들도 지방에서 온 모양'이라고 생각하며 다소 위안을 삼았다.

작곡과 수석 입학이기도 했지만 시골에서는 부모가 자식 입학식에 으레 참석하는 것이려니 해서 아버지는 휴가를 내시고, 엄마는 양장점을 단골손님한테 맡겨두고 서울로 올라오셨다. 그런데 서울에서는 그렇지 않은 모양인지 입학식에 참석한 부모가 드물었다. 나는 부모님이 입학식에 오셨다는 것이 촌스럽게 느껴졌다.

입학식이 시작되자 아이들이 삼삼오오 모여 나를 가리키면서 "쟤가 우리 과에 수석으로 입학한 애래"라며 수군거렸다. 세련된 옷차림을 한 애들 가운데 한 친구가 나한테 와서는 "네가 증평에서 온 김미경이니?"라고 말을 걸었다. 내가 머쓱해하며 그렇다고 대답하자 "아, 네가 수석을 차지한 애 맞구나? 난 차석을 한 혜준이라고 해" 하며 인사를 건넸다. 그러자 아이들이 하나 둘 내 주위로 모여들었다.

그 모습을 뒤에서 지켜보던 부모님은 자랑스러운 표정을 숨기지 못하셨다. 아버지는 너무 으쓱해지신 나머지 아직 친해지지도 않은 과 친구들을 떼로 데리고 가서 비싼 갈비탕까지 사주셨다.

아버지는 식사도 하는 둥 마는 둥 하면서 시골 증평에서 자식을 키우느라 얼마나 힘들었는지, 애가 어떻게 공부했는지 구구절절 이야기보따리를 풀어놓으셨다. 아이들은 재미있게 들어주었지만 나는 아버지가 그냥 빨리 가셨으면 좋겠다는 생각만 했다. 아이들이 나를 '이름을 들어본 적도 없는 시골에서 온 애'라고 여기는 것이 너무 싫었다.

편안함, 풍족함과
거래할 수 없다

어쩌면 내 인생은 입학하고 얼마 지나지 않아 아카라카에 가입하기 위해 대강당 지하로 가던 날 확 바뀌어버렸는지도 모른다.

사실 내가 대학에 다니던 1980년대 초까지만 해도 여자가 대학에 가는 것을 시집을 잘 가기 위한 코스쯤으로 여기는 경우가 많았다. 특히 음대는 최고의 간판이 되었다. 정해진 코스만 따라갔다면 나도 '사모님~' 소리 들으면서 살고 있을지도 모른다.

아카라카 서클룸을 찾아가다가 코스를 벗어나 문이 약간 열려 있는 한 서클룸 앞에 멈춰 섰다. 열린 문 사이로 우수에 젖은 한 남학생의 옆모습이 보였기 때문이다. 그 남학생은 언뜻 보기에도 어려워 보이는 책을 읽고 있었다. '아, 여기에 들어갈까? 근데 뭐 하는 서클이지?'라고 생각할 때 룸에서 '복사꽃'이라 불리던 복학생 선배가 튀어나와 자기네 서클에 가입하라고 권했다. 그 복사꽃 선배는 "저기 책 보고 있는 애(내가 넋 놓고 바라보던 남학생)도 1학년인데 어제 가입했어. 너도 이 책 보고 다음 주에 열리는 세미나에 참석해라"며 상황을 내가 그 서클에 가입하는 것으로 몰고 갔다.

그 선배에게 받아 덜렁덜렁 들고 온 책은 《해방 전후사의 인식》이었다. 교문을 지나다 검문이라도 당하면 엄청 문제가 될 책이었다. 집에 와서 별 생각 없이 펼쳐 든 그 책은 내 머릿속을 뒤흔들어놓았다. 내가 지금 여기서 살아가고 있지만 그동안 전혀 알지 못했던 새로운 세상으로 나를 안내했다.

금장 달린 빨갛고 파란 재킷, 아카라카 치어리더의 꿈은 그렇게 해서 흐지부지되었다. 그리고 막걸리 마시고 꽹과리 치며 의기투합하고, 밤새도록 민족과 민주주의에 대해 토론하며 고뇌하고, 화염병을 만들고, 데모하고, 그 우수에 찬 남학생과 연애도 하는 생활이 계속되었다. 지금 와서 생각해보면 그때 내가 했던 고뇌와 내가 쏟았던 열정이 국가와 민족을 위해 제대로 쓰였는지는 알 수 없으나 하여간 악보보다는 전단지나 사회과학 도서를 끼고 다니는 시간이 많았고, 음대 건물보다는 사회과학대 건물에서 주로 시간을 보냈다. 여느 음대 여대생들과는 많이 다른 대학생활을 한 것이다. 대학생활뿐만 아니라 남자에 대한 가치관도 매우 달랐다.

나는 조건 좋은 남자보다는 근거가 있는 남자, 히스토리가 있는 남자에게 끌렸다. '능력과 재력이 되는 부모님 슬하에서 넓은 집에 살며, 비싼 과외를 받아 일류대학에 들어가고, 졸업 후에는 백으로 좋은 직장에 들어간 남자'는 삶의 무게가 너무 가벼워 그 사람을 다루기가 너무 쉬울 것 같았다. 다루기 쉬운 남자는 존경할 수 없고, 그런 남자는 내 남자가 될 수 없다고 생각했다. 그래서 내가 끌리는 남자는 대개 머리가 좋아 공부는 잘하지만, 집은 가난하고, 각종 고난과 좌절 속에서도 신념이 굳은 그런 캐릭터였다.

그러다 보니 연애하는 남자들이 대부분 그런 사람들이었다. 그런 남자 취향 때문에 친구들과 커플 모임이 있을 때는 가끔 창피하기도 했다. 실컷 먹고 놀고 나서 계산할 때 보면 친구들의 남자친구들은 가죽 지갑에서 돈을 꺼내는데 내 남자친구는 '찍찍이 지갑'에서 돈을 꺼냈다. 지갑을 열 때마다 '찍~' 하는 소리가 나는 그 지갑이 창피하기도 했다.

그렇게 '근거가 있는 남자가 좋아'라고 말하고 다니던 나도 4학년이 되었을 때 잠깐이긴 하지만 '김중배의 다이아몬드냐, 이수일의 사랑이냐?'로 고민하긴 했다. 4학년이 되면 여자애들은 본격적으로 신랑감을 찾는데, 조건 좋은 남자로 고무신 거꾸로 신는 애들이 많았다. 그런 친구를 보고 "나쁜 년, 어떻게 그럴 수 있어?" 해놓고 자기도 몇 년 동안 사귀던 가난한 남자를 차버리고 조건 좋은 데로 가곤 했다.

어느 날 친구가 끝내주는 미팅이 있다면서 나를 꼬드겼다. "미경아, 너의 가난한 취향을 떨쳐낼 수 있는 명품이 나타났어"라며 자리를 주선했다. 친구 말대로 남자들의 프로필은 훌륭했다. '아버지는 법관, 집은 압구정, 8학군에 서울대 출신, 장래는 촉망'이었다. 한눈에 보기에도 고급 분유를 먹고 자란 남자들이었다. 땟물 흐르는 남자들만 보다가 부티가 줄줄 흐르는 남자들과 마주앉으니 어색하기도 했지만 마음이 영 불편했다. 이야기를 나눠보니 무언가 죽기 살기로 해서 이루어낸 경험도 없었고, 필이 꽂힐 만한 히스토리나 근거도 없었다. 이야기를 나누면 나눌수록 내가 누군가를 배신하는 것 같은 느낌이 들어 그 자리에 더 있을 수 없었다. 남자친구가 있던 것도 아닌데 그냥 '내가 왜 이 자리에 있지? 여기 있는 것은 내가 아닌 것 같아'라는 생각이 들었다. 시집 잘 간다는 소리 들으려고, 편하게 살려고 이때까지 인생에 대해 수없이 많이 고민한 것이 아니다.

가끔은 그때 '김중배의 다이아몬드'를 선택하지 않은 것을 후회

할 때도 있다. 살다보니 돈이 없어 불편할 때도 많고, 근거 없는 돈이 오히려 쓰기 편하기도 하니 말이다.

핸디캡 속에 숨어 있는
축복을 찾자

인생이 참으로 아이러니하다는 사실은 증평이라는 촌 출신에 그것도 여자로 태어나서 가난한 남자를 좋아하는 못 말리는 취향이 오히려 지금의 내가 있게 한 원동력이 되었다는 것만 봐도 알 수 있다. 그다지 좋지 않은 이런 조건들 때문에 더 노력하고, 꿈을 이루기 위해 도전할 수 있었다고 생각한다.

내가 연세대에 들어갔을 때 증평에는 아버지가 건 플래카드가 다섯 개, 읍장님이 건 플래카드가 다섯 개, 총 열 개의 플래카드가 휘날렸다. 증평에서 나는 그야말로 드라마 '개천에서 용 난다'의 주인공이었다. 커트라인이 높은 대학에 들어가기 위해 서울에서나 증평에서나 똑같이 열심히 공부했겠지만 증평 같은 시골에서 연세대에 들어가는 것은 서울에서 연세대에 들어가는 것보다 훨씬 더 큰 자부심을 느끼게 해준다. 동네 어른들에게는 기특하고 모범이 되는 아이였고, 동네 동생들에게는 '미경이 누나처럼, 미경이 언니처럼 연세대에 가고 싶다'는 역할모델이 되기도 했다. 그러니 내게는 "내가 증평에 플래카드 걸고 온 사람이다. 나는 우리 동네를 빛내는 사람이 돼야 한다. 적어도 우리 마을을 부끄럽게 하는 행동은 해서는 안 된다"라는 일종의 책임감 같은 것이 있었다. 서울 서교동에서 태어났다면 '나는 서교동을 책임져야 한다'는 생각은 하지 않았을 것이다.

중요한 것은 그렇게 얻은 자부심이나 책임감이 나에게 '난 할 수 있다.' '난 해냈던 사람이니까 이번에도 역시 해낼 수 있다'라는 자신감을 갖게 해주었다는 점이다. 우리 마을에 대한 책임감은 나 자신, 내 삶, 내 선택 등에 대한 책임감으로 이어졌다. 책임감은 주인의식이 있어야만 느낄 수 있는 감정이라는 사실을 아는가. 누가 시키는 대로 하는 사람에게는 절대로 책임감이 생길 수 없다. 먹어본 놈이 먹을 줄도 알고 이겨본 놈이 이길 줄도 안다는 말이 있다.

좌절과 실패를 겪으면서도 성장하지만 나 역시 해냈던 경험을 통해서 많은 것을 얻었다. 자신의 삶, 자신의 선택, 자신의 일에서 주인이 될 때 무슨 일이든 이룰 수 있다.

남편이 들으면 마음이 조금 상할 수도 있겠지만, 내가 가난한 남자와 결혼해 '가난하게 시작'한 것 역시 그렇다. 만약 그 압구정 남자들 가운데 한 사람과 결혼했다면 결혼한 그 순간부터 나는 누구네 집 며느리라는 소리만 듣고 살았을지도 모른다. 설사 직장생활을 했다 해도 시댁의 기세에 밀려서 결국에는 내 꿈을 포기해야 했을 것이다.

그랬다면 아마도 지금 내가 가지고 있는 중요한 두 가지 자산을 얻지 못했을 것이다. 두 가지 자산이 무엇이냐면, 하나는 유형자산인

나 '김미경' 자체다. 또 하나는 강의를 하거나, 책을 쓰거나, 텔레비전에 출연하면서 사람들에게 영향을 주는 '김미경의 경험'이다.

내가 만약 증평에서 태어나지 않았다면, 여자로 태어나지 않았다면, 가난하게 시작하지 않았다면, 지금의 소중한 두 가지 자산을 갖지 못했을지도 모른다.

꿈은 팔자를 바꾸는 도구

"행복하십니까?"라는 물음에 "물론!"이라고 자신 있게 말할 수 있는 사람이 몇 명이나 될까? 세계 178개국을 대상으로 한 행복지수 조사에서 우리나라는 102위였고, 서울은 세계 10대 도시 가운데 행복지수 꼴찌 도시로 꼽혔다. 다음번 조사에서는 중간 이상은 했으면 하는 바람이다.

그럼 어떻게 해야 행복해질 수 있을까. 돈을 더 많이 벌면, 걱정거리가 다 해결되면, 갖고 싶은 것을 다 가지면… 행복해질까? 그렇지 않다는 것은 굳이 말하지 않아도 잘 알 것이다. 나는 행복한가, 그렇지 않은가는 '무엇을 어떻게 받아들이는가'에 따른 선택의 문제다.

　한 여자가 있었다. 이 여자는 어렸을 때부터 무척 성실하게 살았다. 결혼하기 전 직장에 다니면서 돈도 열심히 모으고, 한편으로는 교회에 다니며 신앙생활도 열심히 했다. 주일학교 교사도 했는데 아이들을 예뻐해서 인기가 좋았다. 그녀는 누가 봐도 친절하고 상냥하고 열심히 사는 아주 괜찮은 사람이었다. 그러다가 한 남자를 만나 결혼했는데 그 남자가 너무 가난했다. 게다가 어떻게 하다 보니 자식도 넷이나 두게 되었다.

　상황이 사람을 만든다고, 결혼 전에는 늘 미소 짓고 큰 소리도 잘 못 내던 그 여자는 악다구니만 늘어갔다. 40이 넘자 욕까지 잘하는 사람이 되어 있었다. 자식들에게뿐 아니라 남편에게도 소리 지르고 욕하는 자신을 보면서 스스로 놀라곤 했다.

　'아, 내가 왜 이렇게 변해가지?'

　이런 생각을 하다가도 아이들이 번갈아 말썽을 부리거나 남편이 애를 먹이면 또 소리를 질렀다. 그러던 어느 날이었다. 텔레비전의 한 프로그램에서 외국에 자원봉사 나가는 사람을 인터뷰하는 장면이 나왔다. 그런데 가만히 보니 그 사람은 바로 교회에서 자기와 주일학교 교사를 하던 친구였다. 그걸 보는 순간 그 여자의 속이 무너졌다. '쟤는 저렇게 제 꿈을 이루며 사는데 나는 뭐야? 뭐 하며 사는 거야?' 이런 생각이 들면서 기분이 한없이 우울해졌다.

며칠 우울해 있던 그 여자는 다시 예전의 자신으로 돌아가기로 결심했다. 그래서 한동안 거들떠보지도 않았던 찬송가책과 성경책을 꺼냈다. 자신이 원하는 모습을 찾기 위해 그녀는 가장 먼저 새벽기도를 시작하기로 마음먹었다. 기도하는 과정에서 새롭게 태어나고 싶었다.

사람이 살면서 현재의 모습을 반성하고 지금과는 다르게 살자고 결심하는 순간이 있게 마련이다. 하지만 그 결심을 실천하기는 쉽지 않다. 그런데 그 여자는 굳게 결심하고 열심히 새벽기도를 다녔다. 기도하는 동안 차츰 자신이 정화되는 느낌이 들었다. 새로 태어난 듯 다시 성실하고 건강한 마음으로 살 수 있을 것 같았다.

그러던 어느 날이었다. 그날도 새벽기도를 하고 맑은 기분으로 찬송가를 흥얼거리며 집으로 돌아왔는데 집에 들어서는 순간 너무 놀라 그 자리에 멈춰 서고 말았다. 문이란 문은 다 열려 있었다. 도둑이 든 것이다. 남편은 그것도 모르고 쿨쿨 자고 있었다. 순간 머리에서 피가 거꾸로 솟구쳤다.

여기서 생각해보자. 그 여자가 새벽기도를 하러 교회에 간 것이 축복일까, 저주일까?

다른 사람의 이야기

그는 가난한 과부의 아들로, 어려운 형편에서도 열심히 노력해 나이 서른이 되었을 때 청년실업가로 성공해서 규모가 큰 기업을 이끌어가기 시작했다. 그런데 하늘도 무심하시지, 회사가 한창 성장할 시기에 암이라는 진단과 함께 1년 시한부 인생이라는 판정을 받았다. 그는 미친 듯이 화가 났다.

"내가 뭘 잘못했다고, 신은 왜 나에게 이런 시련을 주실까?"

오랫동안 분해하며 울던 그 사람은 생각을 정리했다.

'그래, 기왕에 죽는다면 있는 돈 다 털어서 어렵게 사는 사람들이나 도와주고 죽자.'

그래서 장학재단을 만들고 시카고대학을 설립해 돈이 없어 공부하지 못하는 많은 젊은이에게 기회를 주었다. 또 자선재단을 만들어 가난한 사람들을 도왔다. 지금 그의 재단은 세계 3대 자선재단으로 꼽힌다. 그의 도움으로 공부한 인재들이 그의 기업에 들어와 회사를 더욱 튼튼하게 키웠다. 그렇게 그는 자신의 재산을 모두 사회에 환원했다. 33세 때 1년 시한부 판정을 받은 그는 아흔 살이 넘도록 건강하게 살다가 사람들의 축복 속에서 세상을 떠났다. 그 사람이 바로 석유왕 존 데이비슨 록펠러다. 록펠러가 30대에 받은 암 선고는 축복이었을까, 저주였을까?

또 다른 사람의 이야기

한 가장이 실직했다. 실직해서 돌아온 남편을 보고 아내는 억장이 무너져 엄청 울었다. 일주일이 넘도록 울던 아내가 하루는 남편에게 이야기했다.

"여보, 지금 우리에겐 돈도, 먹을 것도 없어요. 단지 아이들만 있어요. 그런데 가만히 생각해보니 애들 말고도 우리에게 있는 게 또 있더라고요."

남편은 궁금한 듯 아내의 얼굴을 보았다.

"시간. 당신에게 이제 시간이 생겼어요. 당신이 쓴 글, 돈은 많이 못 벌었지만, 다 좋은 평가를 받았잖아요. 이제 시간이 났으니 당신의 재능을 펼치는 데 그 시간을 다 써요. 당신한테 남은 하나의 재산을 활용할 때가 온 거예요. 마음 편하게 못 썼던 글을 실컷 써 보세요."

아내는 펜과 종이를 꺼내 남편에게 주었다. 그때부터 남편은 아내의 격려 속에 죽어라 글만 썼다. 그리고 불후의 명작을 남겼다. 그가 그때 쓴 작품이 《주홍글씨》이고, 그의 이름은 너대니얼 호손이다. 그의 인생에서 실직은 축복일까, 저주일까?

축복일까? 저주일까?

맨 먼저 이야기한 새벽기도를 다녀온 여자의 경우, 도둑이 든 사건은 축복일까 저주일까? 록펠러가 암 선고를 받았을 때 "내가 뭘 잘못했다고 이런 일이 생기지? 얼마 못 살고 죽는다고? 좋아, 그럼 내가 먼저 죽고 말겠어"라고 자살해버렸다면 암 선고는 엄청난 저주가 되었을 것이다.

실직한 남편에게 아내가 "이렇게 실직하면 우린 어떻게 살아요? 당신 때문에 못 살아! 어서 나가서 돈 벌어와요!"라고 난리를 치며 일주일 내내 울다가 새벽에 남편과 아이들 몰래 도망쳤다면 어떤 일이 벌어졌을까? 남편은 애들을 데리고 강으로 갔을지 모른다.

많은 사람이 저주와 같은 난관에 봉착하면 더 큰 저주로 대응한다. 여기서 하고 싶은 말은 앞에서 말한 새벽기도 이야기가 완성된 이야기가 아니라는 것이다. 즉 그녀의 인생은 진행 중이며 그녀가 어떻게 대처하느냐에 따라 달라질 수 있다. 우리네 인생은 현재 진행 중이다. 앞에 나타나는 난관을 어떻게 해석하고 어떻게 대처하느냐에 따라 인생은 엄청나게 달라질 수 있다.

하버드대학교에서 연구한 결과 행복과 성공을 결정짓는 요인은 '시간 전망(time perspective)'이라는 것을 밝혀냈다. 시간 전망은 현재 어떤 행동을 할 때 얼마나 먼 미래까지 영향을 미칠 거라고 고려하는지를 말한다. 이 연구에 따르면 훌륭한 사람들, 성공한 사람들은 시간 전망을 멀리까지 한다고 한다. 멀리 보게 되면 행동 하나하나에 더 신중하게 된다. 장기적 관점에서 사물을 보면 감정의 기복도 심하지 않게 된다. 가까이서 보면 잘 안 보이는 것도 멀리서 보면 보이는 경우가 많다.

불행이란 원금 없이는 행복이란
이자를 받을 수 없다

당신에게는 하루에도 몇 번씩 여러 가지 선물꾸러미가 배달된다. 그런데 선물꾸러미가 열 개 배달되면 그 중에 받아서 좋고 행복한 선물꾸러미는 한두 개밖에 없고, 여덟 개는 도대체 왜 내게 왔는지 모르는 선물들이다. 물론 겉포장만 보고 판단한 것이다. 혹시 겉포장이 엉망이더라도 '내 인생은 왜 이렇게 운이 없지? 나 왜 이렇게 재수 없지?' 라고 생각하지 말고 끝까지 가보아야 한다. 겉포장은 저주지만 굴복하지 않고 끝까지 가다보면 그 속에 들어 있는 작은 알맹이를 발견할 수 있다. 그것이 바로 행복의 실마리다.

그 실마리를 붙잡고 저주 같은 삶을 행복으로 전환할 수 있어야 한다. 이 세상에서 인생을 멋있게 성공적으로 살아낸 사람은 늘 행복했던 사람이 아니라 저주 속에서 끝까지 인내하고 파헤쳐서 행복의 실마리를 찾아 행복을 만든 사람이다. 행복은 원래 정해져 있는 것이 아니라 행복하려고 노력해나가는 과정에서 자기도 모르는 사이에 발견하는 것이다.

저축하면 돈이 쌓이고 돈이 쌓이면 이자가 나오는 것이 인생의 아주 중요한 원리다. 저축하면 이자가 나오는 것은 돈만이 아니다. 능력도 자꾸 훈련하다 보면 이자처럼 늘어나게 마련이고, 지식도 경험과 체험을 계속 쌓아가다 보면 이자처럼 제 것이 되어 있다. 그렇다면 행복이란 대체 뭘까? 행복에 대한 김미경식 정의는 '행복은 이자다' 이다. 인생은 늘 행복하지만은 않다. 불행한 일이 더 많이 생길 수 있는 게 우리 인생이다. 그런데 그 불행한 일을 행복한 일로 옮겨놓을 때까지 끝까지 노력하다 보면 행복이라는 이자를 받게 되는 것이다. 따라서 불행이라는 원금이 없이는 행복이라는 이자를 받을 수가 없다.

꿈은 당신을 지독하지만
아름답게 만든다

　　　　　　지금까지 살면서 자극을 받고 역할모델이 된 사람
이 몇 있다. 그중에서 자극을 가장 많이 준 사람이 있다. 때론 부러움
을 넘어 질투가 나기도 하는 사람, 그녀는 그야말로 끊임없이 꿈을 만
들어가는 모습을 보여주었다.

　　그녀는 고등학생 때 과외선생님과 사랑에 빠졌다. 똑똑하고 공부
도 잘하고 얼굴도 무척 예뻤던 딸이 1학년 1학기 때 학교를 포기하고
결혼하겠다는 말에 아버지는 펄쩍 뛰었다. 하지만 결국 그녀는 사랑하
는 남자와 스무 살에 결혼했다. 그리고 서울에서 대학을 다니는 남편

을 따라 고향을 떠났다. 지독하게 가난한 남편을 위해 미용실에서 보조로 일을 시작한 그녀는 스물한 살에 딸을 낳았다. 출산한 지 얼마 안 되어 딸아이를 이웃집에 맡기고 계속 미용실에서 일한 그녀. 그래도 그녀는 사랑하는 남편과 예쁜 딸이 있어서 행복했다.

그녀의 어머니는 그 딸이 가여워서 동생 편에 돈을 보내주었다. 미용실을 찾아간 동생은 언니를 알아보지 못했다. 언니가 너무 말랐기 때문이다. 울컥 눈물이 쏟아지려고 했지만 언니가 환하게 웃는 모습을 보고 따라 웃을 수밖에 없었다.

현실이 고되어도 꿈을 버리지 않았던 그 여자

그녀의 목표는 피부관리실을 내는 것이었다. 미용실에서 밤 9~10시까지 일하면서 틈틈이 공부하고 준비해 드디어 피부관리실을 차렸다. 달랑 침대 하나 놓고 시작했지만 그녀는 꿈을 실현해나가는 재미에 더욱 행복했다. 그리고 그녀는 마침내 우리나라에서 몇 손가락 안에 드는 큰 피부관리실 원장이 되었다.

자신의 일뿐만 아니라 내조도 잘했다. 과학자인 남편 역시 인정을 받기 시작해서 일본으로 박사학위를 따러 가게 되었다. 그녀는 또다시 자신이 이루어놓은 모든 것을 아낌없이 버리고 남편을 따라 일본으로 갔다.

그때도 그녀는 이렇게 말했다.

"전업맘이 되어보고 싶었는데 이번이 기회잖아. 아이들 운동회 때 김밥 싸 들고 가보고 싶었는데. 아, 그리고 실컷 울어봐야지. 손님들한테 부석한 얼굴을 보여줄 수 없어서 아무리 울고 싶은 일이 있어도 울지 못했는데… 일본에 가면 다 해봐야지."

그런데 그녀는 일본에 간 지 6개월 만에 마트에 취직했다. 양파도 까고 마늘도 까는 일이었다. 속상해하는 친정식구들에게 그녀는 "일본에서는 박사 부인도, 교수 부인도 파트타임으로 이런 일을 다 해"라며 안심시켰다. 그리고 그 일을 시작한 지 9개월 만에 계산대 담당이 되었다고 동생에게 자랑했다. 그녀가 마트에 들어간 것은 캐셔가 되어 일본말을 잘 배우기 위해서였다. 이렇게 그녀는 일상생활을 잘 해내면서도 자신의 새로운 꿈을 하나씩 만들어가고 있었다.

캐셔 생활을 하던 그녀는 자기 손톱에 관심을 보이던 고객 한 분과 친해졌다. 그녀는 고객들 보기 좋으라고 손톱에 예쁘게 매니큐어를 칠해서 관리했는데, 그것을 고객이 눈여겨본 것이다. 결국 그녀는 그 고객의 소개로 본격적으로 네일아트를 공부했다. 일본에서도 네일아트 초창기였고, 우리나라에서는 네일아트가 시작도 안 된 때였다. 그녀는 네일아트과를 1등으로 졸업했고 일본 전국 대회에서 3등을 했다.

우리나라에서 네일아트가 막 시작되어 첫 대회가 열렸을 때 그녀도 참가했다. 하지만 대회는 세 시간 만에 끝났다. 그녀와 다른 사람들의 실력 차이가 너무 많이 나서 혼자 상을 다 휩쓸고 끝낸 것이다. 박사학위를 받아 교수가 되려고 일본에 간 남편보다 그녀가 먼저 교수가 되어 돌아왔다. 몇 년 전, 그녀는 미국 플로리다에서 열린 네일아트 세계 챔피언십에서 챔피언이 되었다. 10위 안에만 들면 좋겠다며 떠났던 그녀가 세계 최고가 된 것이다. 현재 그녀는 세계 네일아트계에서 가장 권위 있는 심사위원이 되어 있다.

대학교 1학년 중퇴인 그녀는 영어, 일본어, 중국어를 한국말처럼 잘한다. 활동하다 보니 절실히 필요하다고 느껴 죽기 살기로 배웠기 때문이다.

3년 전 교통사고를 크게 당해 얼굴 한쪽을 300바늘이나 꿰매야 했지만 그 큰 불행도 그녀를 굴복시키지 못했다. 그렇게 예뻤던 얼굴이 보기 흉하게 되었으니 그녀가 좌절할까 봐 가족은 걱정이 많았다. 그런데 붕대를 풀고 난 뒤 그녀가 한 첫마디는 이것이었다.

"다행이다. 손은 안 다쳐서 네일아트를 계속할 수 있으니."

그녀는 웃는데 가족은 울었다.

"있잖아 좀 오래 된 영화지만 〈깊고 푸른 밤〉에 나왔던 장미희처럼 한쪽을 머리로 가리고 다니면 더 분위기 있고 섹시하지 않겠어?"

그녀는 가난하고 고단한 일상에 쫓기며 살아도 항상 긍정적인 마인드로 자신의 꿈을 만들어나갔다. 어쩌면 그녀에게는 현실을 탓하며 그냥 꿈을 포기하는 편이 쉽고 편할 수도 있었다. 그러나 그녀는 모든 것을 극복하고 자신의 인생을 모두 부러워하는 최고 인생으로 만들었다.

그녀 이름은 김미원. 내가 이 세상에서 유일하게 라이벌 의식을 느끼는 여자, 질투도 하면서 존경도 하는 언니다.

언니의 삶은 현재의 삶이 고단하다고 슬퍼하고 있는 사람, 자신의 꿈과 너무 거리가 멀어졌다고 좌절하고 있는 사람에게 희망을 준다. 언니의 삶은, 꿈은 스스로 만들어가는 것임을 보여주는 산 증거다.

누구나 꿈을 만들어갈 수 있다. 스스로 꿈을 만들어가는 사람이 결국 그 꿈을 이룬다. 그런 사람은 아름답다. 우리도 아름다운 사람이 될 수 있다.

운명이 장난 칠 때 필요한 악재테크

언제부터인지 대한민국이 '부자되기 열풍'에 휩싸여 있다. 텔레비전을 틀어도 경제 정보 프로그램을 하고, 《재테크에 미쳐라》《펀드로 부자 되는 방법》등 요즘 서점에서 최고 인기 분야도 재테크 관련 서적이라고 한다. 재테크 강좌도 인기가 있다.

돈을 더 잘 벌어서 잘 모으자는 재테크(財tech)도 좋지만 인생을 살면서 일어나는 일에도 기술이 필요하다. 나는 인생에 필요한 '재테크'를 두 가지라고 본다. 열심히 번 돈을 미련하게 모으기만 할 것이 아니라 지혜롭게 기술적으로 잘 모아서 더 많은 재산으로 만들자는

'호재테크(好財tech)'가 그 하나이고, 빚이나 보증, 파산, 뜻하지 않은 실직 등으로 난관에 처하는 '악재테크(惡財tech)'가 다른 하나다.

호재테크보다 더 중요하게 여기는 것이 악재테크다. 호재테크는 잘하지 못해도 인생이 엉망이 되지는 않지만 악재테크는 잘하지 못하면 삶이 돌이킬 수 없을 만큼 엉망이 되기 때문이다. 악재테크는 한마디로 표현하면, 나쁜 일이 생겼을 때 잘 극복하여 '전화위복'의 기회로 삼을 수 있는 기술이다.

우리네 삶에는 현명한 악재테크가 정말 필요하다. 어느 삶이든 좋은 일만 있지도, 탄탄대로로만 이루어져 있지도 않기 때문이다. 특히 자본주의 세상에서 사는 이상 살다보면 돈 때문에 죽고 싶을 때가 있다. 실제로 안타깝게도 돈 때문에 스스로 목숨을 끊거나 남의 목숨까지 끊어버리는 일이 종종 일어나는 것이 현실이다. 돈은 인생을 최고로 만들기도 하고 최악으로 만들기도 한다.

긍정적이지 못한 상황을 뚫어주는 긍정 마인드

친구 중에 나처럼 가난한 남자와 결혼한 아이가 있다. 그 친구네도 조그만 지하방에서 시작해서 맞벌이로 열심히 살더니 3년 만에 46.2㎡ 연립주택 전세로 이사했다. 그리고 10년 만에 신도시에 161.9㎡짜리 아파트를 분양받았다.

46.2㎡ 연립주택에 들어앉아 있던 살림살이를 161.9㎡ 아파트에 갖다놓으니 꼴이 말이 아니었다. 멀쩡했던 텔레비전은 어디 둘 데가 없었고, 냉장고가 냉장고처럼 보이지 않았다. 그래서 친구는 있는 돈을 다 긁어모아 그야말로 결혼하면서 혼수를 마련하듯 살림살이를 새로 다 장만했다. 새 아파트에서 저녁식사를 하는데 새 숟가락에 새 밥그릇, 새 식탁… 친구는 자신도 모르게 눈물이 쏟아졌다. 감동으로 펄떡펄떡 뛰는 가슴을 손으로 누르며 남편에게 말했다.

"여보, 이 집에서 익숙한 건 우리 셋밖에 없다, 그렇지?"

한동안 그 친구는 집이 너무 좋아서 집 밖으로 잘 나오지 않았다. 그러다가 IMF가 터졌다. 온 국민에게 닥친 최고의 악재였다. 대한민국 국민이라면 거의 피해갈 수 없던 악재였다. 친구 남편은 금융회사에 다니고 있었는데 어느 날 회사가 사라지게 되었다. 노조에서는 시위를 하기 위해 부부 동반으로 나오라고 했지만 생각 끝에 친구는 남편에게 나가지 말자고 했다.

"여보, 우리 여기서 새 출발하자. 상황을 보아하니 시위를 한다고 될 문제가 아니야. 이 기회를 전화위복으로 삼자. 당신 그동안 고생 많았어. 10년 일했으니 1년 정도 쉬어도 돼. 당신, 퇴직금 가지고 호주 가자."

내가 생각해도 그 친구, 참 멋있었다. 보통의 아내들은 이런 상황이 되면 남편 옆에서 더 크게 우는데, 그 친구는 별거 아니라며 오히려 충전의 기회로 삼자고 했으니 말이다.

친구가 호주를 택한 이유는 따뜻한 곳인데다 1년 정도 어학연수를 하면 영어를 잘할 수 있다고 남편이 항상 노래를 불렀기 때문이다.

"퇴직금 가지고 1년 충전하는 셈치고 호주에 갔다 와. 그러고 나면 다시 시작할 수 있을 거야."

그런데 그 멋진 말에 대한 남편의 대답은 예상 밖이었다.

"미안하다. 나 퇴직금 없어. 중간정산해서 주식했는데 다 날렸어."

잠시 멍하니 있던 친구가 다시 말했다.

"그럼 호주는 못 가겠네. 그래도 괜찮아. 1년 정도 쉬면서 새로 할 일을 찾자."

그런데 남편의 표정이 점점 이상해졌다. 아무 말도 없던 남편이 눈까지 벌게지더니 친구를 와락 껴안으며 말했다.

"내 말 잘 들어. 여보, 내가 있잖아, 이 집 꼭 다시 사줄게."

사연인즉 남편이 집까지 저당잡혀 주식으로 날린 것이었다. 그 집이 어떤 집이었는가. 이제 그 가족에게 남아 있는 돈은 거의 없었다. 친구가 가지고 있던 통장들도 얄팍하기 짝이 없었다. 살림살이 사느라 다 썼기 때문이다. 이제 작은 집으로 이사 가면 처치가 곤란해질 살림살이였다. 친구는 계산기를 가져와 몇 번 두드리더니 말했다.

"딱 600만 원이야. 우리에게 남는 돈."

그 아파트 팔고 빚 다 갚고 남은 돈이 600만 원이었다. 그 아파트에서 9개월을 살았다. 담담하게 마음먹었지만 더할 수 없을 만큼 속이 상했다. 그래서 이사하기 전날 친구는 마시고 죽으려고 맥주를 한 박스 샀다. 속에서 불이 나 거칠게 카트를 밀며 마트를 누비는데 일곱 살 된 딸이 옷자락을 잡아끌면서 말했다.

"엄마, 엄마. 우리 아빠 너무 불쌍하지. 백수는 불쌍한 거지? 엄마, 아빠 불쌍하니까 아빠 선물 하나 사다주자, 응?"

처음에는 들은 척도 하지 않았는데 딸아이가 계속해서 조르는 것이었다.

"알았어. 하지만 엄마 돈 없으니까 싼 거 사자."

그런데 막상 남편이 백수라고 생각하니까 사줄 것이 없었다. 백수이니 필요한 품목도 별로 없는 것 같았다. 이것저것 고르다 '백수 2종 세트'라고 되어 있는 운동복과 슬리퍼 세트를 샀다. 그래도 선물이라고 딸아이와 같이 리본까지 예쁘게 묶었다. 그제야 흐뭇한 미소를 짓던 딸이 이번에는 카드를 쓰겠다며 서툰 글씨로 이렇게 적었다.

"아빠! 백수를 축하해요."

어른들이 하는 말을 듣긴 들었지만 아이는 백수가 뭔지 정확하게 몰랐다. 불쌍하다는 말을 듣긴 했지만, 아빠가 집에 있게 되는 것이 백수라고 생각한 아이는 나름대로 축하할 일이라고 생각한 모양이었다.

딸이 카드 쓰는 걸 보고 친구는 자기도 써야겠다고 마음먹었다. 그런데 막상 편지를 쓰기 시작하니까 원망 섞인 말밖에 안 나왔다. 자신에게 어떻게 그럴 수 있는지, 왜 자신을 속였으며 퇴직금 중간정산한 것은 말 안 했는지, 편지지를 앞에 두고 보니 봇물처럼 원망이 쏟아져 나왔다. 하지만 친구는 그렇게 쓰지 않았다. 그렇게 쓸 거라면 아예 쓸 생각도 하지 않았을 것이다. 고치고 고쳐서 쓴 내용은 이랬다.

여보, 참 신기한 거 알아? 옛날에 우리 결혼할 때 들고 시작했던 돈이 600만 원이었는데 이제 우리에게 남은 돈도 또 600만 원이네. 근데 그 옛날에 600만 원은 정말 큰돈이었는데, 뭐든지 다 할 수 있을 것 같았는데 지금은 왜 이렇게 휴지 조각 같을까. 그동안 돈은 변한 게 없는데 우리 둘만 너무 못되게 변했어. 여보, 기왕에 이렇게 된 거 다시 옛날처럼 기운내서 다 같이 노력해 잘살자.

이런 내용으로 써내려가다 보니 자기도 모르는 사이에 열 장을 쓰게 되었다. 그 열 장의 편지를 접어서 봉투에 넣었더니 엄청 빵빵했다. 친구가 편지봉투를 남편에게 주면서 읽어보라고 했더니 남편이 처음에는 손을 덜덜 떨면서 받지도 못했다.

"편지야. 읽어봐."

재촉을 받고서야 남편은 편지를 들고 베란다로 나갔다.

그런 다음 친구는 이삿짐을 싸기 시작했다. 한참 짐을 싸다가 시계를 본 친구는 깜짝 놀랐다. 짐을 싸기 시작한 게 저녁 7시였는데 새벽 1시가 다 되어가고 있었다. 온갖 상념 속에서 짐을 싸다보니 시간 가는 줄 몰랐던 것이다. 그런데 남편이 보이지 않았다. 순간 친구는 깜짝 놀랐다. 당시 '유행'처럼 번지던 베란다 투신자살이 떠올라 후다닥 베란다로 나갔는데 빨래 너는 쪽에서 이상한 소리가 났다. 불을 켜고 가보니 남편이 머리를 두 손으로 감싼 채 꺽꺽거리며 울고 있었다. 친구는 남편에게 다가가 꼭 껴안았다. 그리고 함께 울었다. 살면서 그날처럼 마음이 아픈 날은 없었다.

우리가 5년 정도밖에 살지 않는다면 악재테크는 필요 없다. 하지만 90년 가까이 혹은 그보다 더 많이 산다. 지금은 돈이 그다지 아쉽지 않더라도 인생을 살면서 어떤 악재에 부딪힐지 모른다. 불의의 사고, 예측 못한 불행 같은 것이 인생 어디에 숨어 있을지 모른다. 인생에서 돈 때문에 어려운 상황이 절대 오지 않을 거라고 장담할 수는 없다. 나 역시 마찬가지다. 내 인생에 아무 일도 없을 거라고 장담할 수 없다. 친구도 넓은 집에서 이제 남은 것은 풍요롭고 행복하게 사는 것뿐이라고 생각했을 때 그런 일을 당했다.

욕구와 시간을 지배하면 승자가 될 수 있다

친구네 가족은 36.3㎡ 반지하 셋방에서 다시 시작했다. 한 달 넘게 연락이 안 되더니 친구가 전화를 걸어왔다.

"미경아, 있잖아. 내게 아무것도 없는 줄 알았는데 두 가지나 있더라. 돈을 벌어야겠다는 '욕구'와 '시간'."

그 말을 듣는 순간 나는 그 친구가 재기할 것이라고 확신했다. 자본주의 사회에서 돈을 벌고자 하는 욕구와 시간은 참 중요한 자산이다. 돈을 벌고자 하는 욕구와 시간이 같이 놀면 작품이 된다. 그런데 두 가지가 잘 합쳐지는 사람이 많지 않다. 돈을 벌긴 벌어야 하는데 "내가 남한테 아쉬운 소리 해본 사람이 아니라서." 혹은 "내가 그런다고 벌면 얼마나 벌겠어" 이러고 만다. 그러다보니 돈 버는 욕구와 시간이 따로 놀면서 시간만 흘러가고 점점 돈에서 멀어져 인생이 우울해진다.

그 친구는 '욕구'와 '시간' 두 가지를 가지고 6년 동안 그야말로 미친 듯이 노력했다. 그리고 6년 만에 완전히 재기에 성공했고, 가족의 사랑도 더 단단해졌다. 악재테크를 잘한 것이다.

호재테크는 조금만 신경 쓰면 누구나 잘할 수 있다. 도와주는 전문기관도 많다. 그러나 인생에 악재가 닥쳤을 때는 다르다. 이것을 어떻게 슬기롭게 넘어서 낙천적으로 회복하고 인생의 최저점에서 치고 올라갈 수 있는가가 중요하다.

당신의 꿈이
당신이 누구인지를 결정한다

초등학교 때부터 친했던 정숙이라는 친구가 있다. 미술에 소질이 많은 정숙이는 학교에서 미술대회나 사생대회가 있을 때는 물론이고 군 대회에 나가서도 상을 휩쓸었다. 한 번은 군에서 이승복 어린이 추모기념 반공 사생대회가 있었는데, 어린것이 '나는 공산당이 싫어요'라는 것을 어찌나 잘 표현했던지 정숙이가 그때 그린 포스터는 아직도 기억이 날 정도다.

요즘은 미대나 음대 같은 예술 관련 학과는 들어갈 때도 들어가서도 부모가 돈이 있어야 뒷받침해줄 수 있다고 하지만 그래도 당시에는 지금보다 기회가 많이 열려 있어서 소질이 있는 아이들이 꿈을 펼칠 수 있었다. 먹고살기 힘든 시절이었지만 정숙이는 꿈대로 서울에 있는 대학의 미대에 입학했다. 대학시절에도 꽤 잘해서 정숙이가 유명한 도예가가 될 줄 알았다. 그런데 졸업 후 얼마 지나지 않아 결혼하더니 자신의 꿈을 접어버렸다.

결혼생활이 그렇지만, 정숙이도 아내와 엄마 노릇하느라 자신의 꿈만을 위하여 투자할 시간과 에너지를 낼 수 없었다. 가족에게 시간과 에너지를 다 빼앗겨버렸다는 것이 더 정확한 표현일 것이다.

1년에 한 번이라도 전시회에 출품해 자신의 작품 생활을 이어갔더라면, 지금쯤 꽤 알려진 도예가가 되었을 만큼 실력이 있는 친구였지만, 1년에 두 점 정도 내야 하는 작품을 준비할 여력이 없었다.

가끔 전화하면 무엇이 그리도 바쁜지 하루에 서너 개의 일정을 소화하는 나보다 더 정신없이 하루를 보내는 것 같았다. 뭐에 그렇게 바쁘냐고 물어보면 정숙이는 "애들이 발해 역사에 필요한 자료를 찾아달라고 해서 지금 인터넷에서 그걸 찾고 있어"라든지 "지금 우리 큰애 영어 과외 끝났거든. 바로 수학 학원에 데려다줘야 해" 같은 말을 남기고 서둘러 전화를 끊기 일쑤였다. 자신의 꿈을 덮어두고 가족 뒤치다꺼리에 매달리던 정숙이는 '너희는 엄마 없으면 굶어 죽을 거야.' '당신은 나 없으면 회사에 입고 갈 옷이나 챙겨 입을 수 있어?' 라는 비겁한 자부심이 대단한 듯했다. 그러면서 한편으로는 '언젠가는, 언젠가는' 하는 희망도 버리지 않았다.

"미경아, 지금은 아이들이 어려서 이렇게 살지만 애들이 중학생 정도 되면 다시 일할 수 있지 않을까?"

하지만 그것은 순진한 착각이었다. 어렸을 때부터 늘 엄마가 뒤치다꺼리를 해준 아이들은 클수록 오히려 요구사항이 많아지고, 남편 역시 마찬가지다. 아이들은 중학생이 되었지만 정숙이는 여전히 자신을 위한 시간을 낼 수 없었다. 집 안에, 산지사방에 널려 있는 모든 일은 정숙이 손이 가야 제대로 처리되었고, 가족은 그런 것에 아주 익숙해져 있었다.

오늘 메뉴였던 국이 다음 날도 올라오면 남편과 애들은 숟가락도 들지 않았다. 가족 요구를 다 들어주기도 빡빡한 시간이니 작품은커녕 자신을 위해 단 한 시간도 낼 여유가 없었다.

여느 날처럼 막내와 만들기 숙제를 하느라 두 시간쯤 매달려 있다가 허겁지겁 회식장소로 남편을 데리러 갔다. 남편은 술을 마시는 날이면 반드시 픽업하러 가야 했다.

운전 중에 막내는 수학 문제가 너무 어렵다며 두 번, 세 번 전화했다. 아이와 통화하느라 정신없이 운전하던 정숙이는 가야 할 길을 놓쳐서 한참이나 지나쳤다. 겨우겨우 길을 찾아 회식장소로 달려가면서 전화했더니 남편은 도대체 어디냐며 벌써 15분이나 밖에서 떨고 있다고 버럭 화를 냈다.

"내일 아침에 나 출장 가야 해. 출장 준비도 해야 하고, 새벽에 회의에도 참석해야 하는데 이렇게 길거리에서 허비할 시간이 없단 말이야."

그 말을 듣는 순간 정숙이는 '도대체 내가 지금 뭐 하며 살고 있나? 이렇게 죽어라고 가족을 위해 희생하면서 살아도 나에게 돌아오는 말은 고작 이것뿐인가?' 하는 후회가 밀려왔다.

"여보, 당신이 15분을 허비했다고 나에게 화내는 거야? 나는 이렇게 15년을 살았어. 택시 타고 와."

정숙이는 그날 남편에게 가지 않았다. 정숙이는 지금도 그날을 친구들에게 자신의 독립기념일이라고 말한다. 며칠 뒤 정숙이는 남편과 아이들에게 마치 선언문을 낭독하듯 말했다.

"당신, 이제부터 나한테 회식자리에 데리러 오라고 얘기하지 마. 당신이 필요하면 운전을 배우든지, 아니면 택시 타고 다녀. 그리고 아침에 시간이 안 되면 빵 먹고 가. 우리는 이제부터 같은 미역국을 이틀 이상 먹을 수도 있어. 그리고 형석이는 영어 끝나고 수학 공부하러 갈 때 버스 타고 다녀. 버스 타고 다니는 것도 다 배우는 거야. 막내 형준이는 이제부터 숙제는 네가 알아서 해. 너 엄마보다 인터넷 더 잘하잖아. 엄마도 이제 엄마 시간을 쓸 거야."

남편은 어이없다는 표정으로 "당신 뭐 잘못 먹었어? 어떻게 된 거 아니야? 갑자기 왜 이래?"라고 하고, 아이들은 "엄마, 왜 그래요? 우리가 뭐 잘못했어요?"라며 눈물을 글썽거렸다.

아내가 꿈을 꾸면 집안이
엉망이 된다고?

물론 정숙이네 가족의 태도는 그날 이후로도 별로 달라진 게 없었다. '우리 엄마가 설마 그럴 리가 있어?' '뭔가 스트레스 받은 게 있겠지, 저러다 말겠지' 싶었는지 한 몇 달 동안은 예전처럼 이것저것 주문을 늘어놓았다. 하지만 단단히 결심하고 도예 공부와 도자기 빚기를 다시 시작한 정숙이는 가족을 위해 쓰는 시간을 최소한으로 줄였다. 싸움도 많이 했다. 살림만 할 때보다 육체적·정신적으로 훨씬 힘들고 어려웠지만 가슴 한구석이 항상 텅 빈듯한 느낌은 사라졌다. 그동안 무엇인가 항상 모자란 듯 휑했던 자리는 스스로 조금씩 자신의 이름을 찾아가는 만족감과 행복으로 채워졌다.

요즘 정숙이는 새로운 꿈을 이루기 위해 도전하고 있다. '주말도예학교'를 여는 것이다. 얼마 전 통화했을 때 주말도예학교로 쓰려고 경기도에 있는 주택을 임대해 수리했다고 자랑했다.

처음 정숙이가 반란 아닌 반란을 꾀했을 때 이해하지 못하고 저항하며 불평불만이 가득했던 가족도 이제는 정숙이의 모습에 적응해가고 있다. 가족은 그녀가 하나하나 다 챙겨주던 예전보다 불편함을 느끼긴 하지만 엄마가, 아내가 도예가로 산다고 해서 가정이 엉망이 되는 것은 아니라는 사실을 깨달아가는 듯했다. 오히려 정숙이가 놀라워할 만큼 가족은 그동안 정숙이가 해왔던 일들을 알아서 잘 처리해갔다. 아이들은 숙제를 봐주지 않아도 숙제할 수 있게 되었고, 남편은 그동안 뻔뻔하리만치 당당하게 요구했던 자신의 편리를 알아서 처리했다. 그동안 희생이라는 이름으로 해왔던 뒷바라지가 가족이 각자 알아서 하면 아무것도 아니라는 생각이 들 정도로 가족은 잘 지냈다.

이기적인 아내,
이기적인 엄마가 돼라

가족 뒷바라지 때문에 자기 인생과 꿈을 '희생' 하지 않겠다고 단단히 결심하긴 했지만 그래도 마음이 편하지는 않았다. 한 번은 "나 어제 준비물 못 가져가서 복도에서 벌 섰어"라는 아이 말에 뜨끔해진 정숙이가 나한테 전화했다.

"미경아, 나 너무 이기적인 엄마 아니니? 사실 가끔 죄책감도 들어. 나 하고 싶은 거 하자고 이렇게 살아도 되나? 참 이기적인 엄마라는 생각이 들어. 너는 어떻게 생각해?"

"네가 그 정도를 이기적이라고 생각하면 나는 괴물이다."

나 역시 이런 죄책감이 들지 않는 것은 아니다. 벌써 22년 동안 사회생활하면서 다 적응했다고 생각했던 가족이 때때로 반란을 일으킨다.

큰애가 초등학교 3학년이 되었을 즈음이었다. 태어날 때부터 일하는 엄마를 보며 자라서 '알아서 챙겨 먹고' '알아서 입고' '알아서 해야 한다'는 것에 익숙한 아이였다. 그런데 친구 집에 놀러갔다가 다른 엄마들의 모습을 보고는 뭔가 크게 깨달은 모양이었다.

하루는 집에 오더니 "엄마, 엄마 직장 안 다니면 안 돼? 엄마가 집에 있으면 좋겠어. 내 친구 예슬이 엄마는 집에서 피자도 만들어 준단 말이야"라고 했다.

그 당시 큰애의 가장 큰 관심사는 방과 후 간식이었다. 챙겨준다고 해도 솜씨가 별로인 도우미 아줌마의 떡볶이가 아이의 성에 찰 리 없었다. 친구네 집에서 엄마가 만든 피자를 한 조각 얻어먹고 온 날, 그것이 얼마나 부러웠는지 알 만했다. 나는 종이를 한 장 펼쳐 도표를 그려놓고 큰애한테 설명해줬다.

"상요야, 우리 가족의 하루를 그려보자. 아침 7시면 우리 식구들은 일어나서 다 같이 아침을 먹어. 그리고 8시면 집에 남아 있는 사람은 아무도 없어. 아빠는 회사 가고, 너희는 학교 가고, 엄마도 회사에 가. 그리고 너는 3시에 학교가 끝나면 집에 들러서 가방을 바꿔들고 4시에 학원에 가. 영어 학원, 미술 학원 가다보면 7시나 돼야 집에 오잖아. 엄마도 그때 집에 오고. 네가 학교에 가 있는 시간이랑 학원에 있는 시간에는 엄마가 집에 있어도 네가 엄마를 볼 수 없어. 엄마가 회사에 다니지 않고 집에 있다 해도 집에서 엄마를 볼 수 있는 시간은 학원에 가기 전 딱 1시간이야. 근데 네가 친구네 집이나 놀이터에서 놀다 오면 너는 엄마를 1시간도 못 보겠지. 엄마도 널 괜히 기다린 것이 되고. 그 1시간 때문에 왜 엄마가 24시간 집에 있어야 하는지 네가 설명해봐."

당연히 큰애는 설명하지 못했다.

"상요, 엄마더러 회사 다니지 말라고 하는 거 이기적이지 않니? 왜 네 아빠와 똑같은 소리를 하니? 넌 딸이고, 여자고, 나중에 커서 멋있는 일을 할 사람이잖아. 그러면 네가 지금 엄마를 이해하고 도와줘야 하잖아. 네가 나중에 결혼하고 아이 낳고 일할 때 그때는 엄마가 은퇴해서 도와줄 거야. 그러니까 지금은 네가 엄마를 도와줘야 하지."

딸은 아무 말도 못하고 그 종이를 집어 들었다.

"엄마, 이거 내가 가지고 있을게."

"왜?"

"나중에 우리 딸이 나보고 간식 만들어달라고 하면 이 종이 보여주게."

그때 딸아이에게 그렇게 말하긴 했지만 나도 마음이 쓰렸다. 그렇게 마음이 쓰리고 말았던 것이 지금으로서는 모두에게 다행이다. 이제 우리 가족은 적응 단계를 뛰어넘어 서로서로 지원하는 시스템으로 자리를 잡았다.

꿈을 중심으로
시스템을 만든다

아내(엄마)가 자신의 일을 하거나 꿈을 이루려면, 가장 먼저 가족이 아내(엄마)의 일을 이해하고 협조하게 해야 한다. 가족이 집안일을 엄마의 일, 아내의 일이라고 생각하지 않게 하는 것은 기본이다. 그러기 위해서는 가족의 정서적 시스템을 구축해야 한다.

먼저 아내(엄마)가 하고자 하는 일이 무엇인지, 아내(엄마)의 꿈이 무엇이고, 어떤 삶을 살지 가족과 공유하고 가족의 공감대를 이끌어내야 한다.

둘째, 가족의 역할을 나누어서 엄마 한 사람에게 가중된 가정 내의 책임과 의무를 나눠야 한다.

셋째, 이렇게 살아가는 생활 시스템이 전업맘이 있는 가정에 비해서 문제가 있는 것이 절대 아니라는 것을 분명히 말해야 한다.

가족의 행복은 누군가 한 사람의 희생으로 만들어지는 것이 아니라 가족 구성원 모두 삶의 목표가 있고, 그것을 달성해나가는 과정에서 서로 돕고 책임과 의무를 나눔으로써 이루어질 수 있다는 것을 알아야 한다. 우리는 그동안 일생을 희생하며 살아온 어머니들이 자식에게 희생의 대가를 기대하는 것을 보았다. 그리고 그것이 자식에게는 부담이요, 어머니에게는 후회와 실망으로 남는 것도 보았다.

"나는 엄마처럼 살지 않을 거야"라고 말만 할 것이 아니라 과연 어떻게 살아야 이전의 어머니들처럼 살지 않고 더 현명하고 행복한 어머니가 될 수 있는지 고민해야 한다.

2
...

꿈은 당신의 미래를
책임질 충분한 자산

남편의 은퇴를
불현듯 맞이하지 마라

불과 10여 년 전만 해도 우리나라 사람의 평균수명은 64~66세였다. 예순 살을 넘기기가 얼마나 힘들었으면 예순한 살에 크게 잔치(환갑)를 했을까. 그런데 요즘은 평균수명이 남자는 75세, 여자는 82세로 늘어났다. 평균수명이 늘어나고 오래 산다는 것이 좋기만 한 것은 아니다. 돈을 벌 수 있는 시간은 한정되어 있는데, 복지시설도 그다지 좋지 않은 나라에서 오래 산다는 것이 어떤 때는 대책 없는 일이 아닌가 하는 걱정이 들 정도다.

예전에 우리 엄마는 "난 일흔 살이 되면 깨끗이 갈 거야. 벽에다 뭐 칠하고 그러면서 안 살아"라고 하셨다. 몇 년 전 그 생각이 나서 엄마에게 전화해서 물어봤다.

"엄마 2년 남았네. 엄마 일흔 살이 되면 깨끗이 간다며?"

아니나 다를까, 일흔 살이 되면 깨끗이 가겠다는 말은 다 잊으셨다.

"애, 미경아. 사람이 구질구질하게 오래 살고 싶겠냐? 근데 우리 미경이 성공하는 거 꼭 봐야 하고, 막내 미국 갔다 와서 교수되는 거 꼭 봐야 하고… 오래 살고 싶은 욕심은 별로 없는데 내 자식들이 어떻게 되나 끝까지 보고 싶은 거야."

이야기를 듣고 보니 그랬다. 오래 살고 싶어서라기보다 해야 할 일이 많아서 더 살아야 하는 것이 아닐까 싶었다.

남편과 아이에게 노후를
의지하지 말자

지금 30~40대의 평균수명은 90~100세 정도 된다. 자칫 '실수' 하면 그중 3% 정도는 110세까지 산다고 한다. 당신은 100세까지 살 준비를 잘 하고 계시는가. 흔히 '노후자금' 이라고 하는데, 그보다는 '노후생계비용' 을 준비해야 한다.

'열심히 키워놓은 아이들한테 의지하면 될 거야.' '자식들이 돌봐주겠지' 라고 생각하는가. 아이들은 이미 엄청난 경쟁사회에서 자신을 책임지고 살기에도 버거운 데다가 그 세대에서는 부모를 반드시 책임져야 한다는 의식도 약해진다. 우리가 100세일 때 자식 나이도 70~80일 텐데 늙은이들끼리 뭘 부양하고 부양받겠는가!

'남편이 알아서 해주겠지'라고 기대하는 사람도 있을 것이다. 요즘은 40대 후반에서 50대 중반이면 은퇴한다고 해도 지나친 말이 아니다. 게다가 남자들은 40대 중반을 넘어서면 여자에 비해 극도로 심약해진다. 그런데 여자는 남자보다 수명이 6~8년 정도 길다.

제일기획에서 발표한 '와이세대리포트'를 보면 흥미로운 내용이 있다. 65세 이상 되는 할아버지들과 할머니들을 대상으로 일주일에 외출을 몇 번 하는지 물어봤는데, 할머니들은 매일 외출하고 하루에 밥을 네 끼 이상 먹는다고 한다(옆집 가서 한 번, 앞집 가서 또 한 번 이런 식으로). 그에 반해 할아버지들은 일주일에 1~2회 정도 외출한다고 한다. 그것도 한 달에 한 번 정도는 꼭 누가 죽어서 초상집 가는 경우이고, 누구에게 전화할 일도 거의 없다고 한다.

주변에서 보면 정말 그렇다. 할머니, 할아버지가 사시는 집의 전화는 할아버지가 쓰는 것이 아니라 거의 할머니가 쓴다. 남편이 무서워 해달라는 대로 다 해주던 여자도 나이가 50이 넘으면 "직접 갖다 드시구려" 한다.

어쨌든 여자의 삶은 나이 들수록 훨씬 더 활동적이 된다. 폐경 이후에 더 많이 분비되는 남성호르몬의 영향도 있지만 여자로, 아내로, 엄마로, 며느리로 살면서 닥치는 여러 가지 일을 처리하면서 더 강해졌기 때문이다. 그러니 결국 남편에게 노후를 의지하기보다는 아내가 노후를 준비하는 것이 더 현명한 선택이다.

여자는 대부분 남편의 은퇴와 자신의 폐경기가 맞아떨어지는 나이 50이 되어야 닥친 현실에 놀라곤 한다.

여자들은 대체로 20대 후반 즈음 결혼한다. 결혼 후 아이를 낳고, 아이가 초등학교에 들어가기 전까지는 그리 많은 돈이 필요하지 않다. 남편 혼자 벌어도 넉넉하진 않지만 가정생활을 해나가는 데 큰 어려움을 겪지는 않는다. 자신의 옷값이나 파마하는 돈을 아껴가면서 알뜰히 살아가면 그런대로 적은 돈이나마 조금씩 저축하면서 살아갈 수 있다.

아내들은 아이가 유치원에 들어갈 때가 되면 본격적으로 '103동 505호 멤버'(그냥 지칭하는 말이니 해당 호수에 사는 분은 기분 나빠하지 마시길)가 된다. 아이들을 유치원이나 학교에 보내놓고 한 집에 모여 커피를 마시면서 수다를 떠는 데 시간과 에너지를 쓰는 것이다.

중학생이 되면 아이는 새벽에 나가서 학원까지 갔다 밤 11시나 되어야 집에 돌아오고, 남편 역시 가장 바쁜 40대를 보내고 있다. 아이의 입시 등으로 정신없을 시기를 보내고 나면 어느덧 나이는 50이 되고 폐경이 시작된다. 이즈음에 노후 대책도 제대로 해놓지 못한 상황인데 남편은 덜커덕 은퇴를 해버린다. 요즘 애들은 무슨 배울 것이 그리도 많은지 허리를 휘청거리며 과외를 시켜 대학에 보내놨더니 어학연수에, 복수 전공에, 대학원까지 가야 취업이 된다고 하니 미칠 노릇이다. 돈이 들어갈 일이 끝날 때는 요원하고 들어오는 돈은 없으니 말이다.

그때가 돼서야 '나라도 나가 벌어야겠다'고 생각한다. 그런데 이미 그때는 정서적으로나 경제적으로 가정을 컨트롤할 만한 능력을 상실한 자신을 발견하게 된다. 과연 여자가 아내와 엄마라는 이름으로 어떠한 시간을 지나왔기에 이러한 상황에 놓이게 될까.

현실을 직시하고 장래를 계획하자

한 보험사에 강의하러 갔을 때였다. 눈에 띄는 여성이 있었는데 나이는 50대가 조금 넘어보였다. '젊었을 때 꽤나 예뻤겠구나' 싶은 외모에 사모님 소리를 들으며 살았을 것 같은 분이었다. 그날 나는 남편의 은퇴와 그에 따른 가정의 고통 그리고 노후 대비가 전혀 되어 있지 않은 안타까운 현실을 이야기하고, 미래를 준비해야 한다고 열변을 토했다. 이야기를 하다 그분과 눈이 딱 마주쳤다. 그분 눈에는 눈물이 그렁그렁했고 결국 고개를 숙이고 울고 말았다. 그분 사정이 뻔히 보여 안타까운 마음이 들었다.

강의를 끝내고 나오는데 그분이 다가와 이야기를 들려주었다.

"원장님, 오늘 하신 얘기 있잖아요. 대기업 임원 하다가 퇴직해서 하던 사업 망하고 남편이 병까지 얻어 어렵게 산다는 사람 이야기요.

우리 집에 와보신 것처럼 저희 사정과 똑같았어요. 그래서 강의 들으면서 많이 울었어요."

그녀의 남편은 어느 금융기관의 지점장이었다고 한다. 은퇴 후 사업을 하다가 여의치 않아 사업을 접게 되었고, 거기다 암까지 얻어 투병 중이라고 했다. 더는 유학 자금을 댈 수 없어서 유학 갔던 아들을 불러들였고, 아들은 지금 직장을 구하러 뛰어다닌다고 했다. 자신도 생계가 막막해 뒤늦게나마 일을 해보려고 나왔다는 것이다.

"제가 이 일을 할 수 있을까요? 처녀 때 직장생활 1년 한 거 빼고는 평생 돈 한 푼 벌어본 적이 없어요. 제가 50만 원이라도 제 손으로 벌 수 있을까요?"

"돈 버는 일을 해보지 않은 사람은 돈 버는 일에 미숙할 수밖에 없어요. 그렇다고 포기하시면 안 돼요. 하면 하게 되어 있어요. 게다가 앞으로 50년은 더 사실 거잖아요. 지금 시작해도 늦지 않아요. 지금 바닥부터 시작해도 70세까지 20년은 하시겠네요. 어떤 것이든지 걸음마 한다고 생각하고 훈련하세요."

오래 살다보면 예기치 못했던 불행이나 단절을 경험하게 된다. 그러나 분명한 한 가지는 우리가 예측할 수 있는 단절은 바로 우리의 생계책임자인 남편들은 50세 전후로 해서 가정으로 돌아올 수밖에 없다는 것이다. 이러한 메시지를 전했을 때 그녀들이 당혹스러워하는 것을 보고 오히려 내가 더 놀랐다. 바로 10년 뒤, 코앞에 닥친 미래에 대해 막연히 두려워할 뿐 대비하지 않기 때문이다. 정말 예측하기 쉽고 당연한 이야기를 하는데도 많은 여성은 생전처음 듣는 이야기처럼 충격을 받는다.

우리가 깨달아야 할 것은 우리가 기대하는 것보다 훨씬 더 오래 살게 될 것이라는 점과 생계책임자인 남편이 예상보다 훨씬 빨리 집으로 돌아올 것이라는 점에 놀랄 것이 아니라 그것에 대해 전혀 준비하지 못한 자신에 대해 놀라야 한다는 것이다.

100달러짜리 컨테이너를
100만 달러짜리로 만들어라

"백 달러짜리 컨테이너 안을 백만 달러짜리로 채워라." 이는 내가 잘 쓰는 말이다. 한 40년쯤 되어 낡고 녹이 많이 슬어 고철로 보이는 컨테이너 박스가 있다. 그 컨테이너 박스는 얼마일까? 그런데 컨테이너 박스를 열어보니 그 안에 수출하려고 모아둔 최신 휴대폰 1만 개가 실려 있다. 그러면 그 컨테이너의 가격은 얼마나 나갈까? 못해도 몇 억 원은 될 것이다. 컨테이너 박스 안에 어떤 콘텐츠가 담겨 있나에 따라서 그 가격이 달라지기 때문이다.

사람은 어떨까? 외모, 외양은 컨테이너에 해당한다. 젊었을 때는 누구나 컨테이너 상태가 좋다. 피부도 탱탱하고 '젊다'는 것만으로도 높이 평가받을 수 있다. 그런데 컨테이너는 쓰면 쓸수록 낡을 수밖에 없다. 나도 20년 전에는 컨테이너 상태가 지금보다 훨씬 좋았다. 피부도 탱탱했고, 기초공사 안하고 파운데이션만 발라도 화장이 잘 먹었다. 몸매도 괜찮았다. 지금은 백화점에 가서 "이거 좀 입어볼 수 있나요?"라고 물어보면 백화점 판매사원이 나를 훑어보면서 "그건 사이즈 큰 거 없어요"라고 한다. 판매사원의 낯짝을 한 대 갈기고 싶을 정도로 화가 나지만 예전에는 55 사이즈를 입었다.

사람의 컨테이너에는 불변의 법칙이 있다. 일정한 정점에서 최고의 가치를 지니다 다음부터는 하강곡선을 그린다는 것이다. 어느 화장품 광고에서처럼 여자의 피부는 25세부터 노화되기 시작한다. 컨테이너 관리에는 한계가 있다. 일정한 기간이 지나서도 컨테이너로 승부를 보려면 부질없는 돈과 노력이 무지하게 많이 든다. 끊임없이 성형한다든지, 피부를 당긴다든지 해야 한다. 그런데 컨테이너에 대한 이러한 투자는 아무리 해도 한계가 있다. 그리고 투자가 소용없는 시기가 오고야 만다.

너무 곱게 분을 바르고 멋을 낸 할머니를 보면 섬뜩할 때가 있다. 컨테이너에 무차별 투자한 나이 든 여성을 보면 참으로 가엾다는 생각이 들기까지 한다. 반면 얼굴에서 자연스럽게 나이를 짐작할 수 있고, 연륜에 맞는 이야기를 하고, 지혜로운 생각을 하는 여성을 보면 정말 곱게, 품위 있게 늙어간다는 느낌이 온다. 이게 바로 콘텐츠의 차이다.

후진 컨테이너 가격을 고가의 핸드폰(콘텐츠)이 결정하듯, 시간과 열정과 돈을 콘텐츠 쌓는 데 쓰면 근사한 컨테이너를 가진 사람보다 훨씬 더 멋지고 매력적인 사람이 될 수 있다.

그렇다면 사람에게는 무엇이 콘텐츠일까?

사람에게 콘텐츠는 나이가 먹을수록 쌓이는 인격, 지식, 세상과 거래할 수 있는 자신감, 삶에 대한 열정이나 올바른 분별력 같은 것이다. 오래된 컨테이너가 낡고 보잘것없다고 손가락질하는 사람은 없다. 그러나 60대가 나이에 걸맞은 콘텐츠를 갖고 있지 않으면 욕한다. "저 나이에 왜 저 정도밖에 안 되냐? 왜 저렇게 사냐?" 그러면서 존경하기는커녕 비웃고 무시한다.

컨테이너 관리보다 콘텐츠를 채워나가는 일에 관심을 가져야 할 때는 바로 30~40대다. 그때를 놓치면 나이에 걸맞은 콘텐츠를 모으고 개발하기가 점점 더 어려워지기 때문이다.

내가 20대에 처음 직장생활을 시작했을 때 내 콘텐츠는 참으로 보잘것없었다. 첫 출근 때 상사에게 제대로 인사하는 법도 몰랐고, 간단한 전화 예절도 몰라 고객에게 전화가 왔을 때 그냥 집에서 하던 것처럼 생뚱맞게 "여보세요?"라고 했다. 어리숭하게 실수도 해 회사에서 '내가 왜 이러나' 하는 생각을 두 달 가까이 했다. 당시 내 월급은 25만 원이었는데, 나는 그 25만 원의 가치에 부합하는 콘텐츠도 갖고 있지 못했다.

그러나 지금은 어떠한가. 비록 내 컨테이너는 20년 넘게 험하게 사용한 결과, 눈가에 주름도 늘고 백화점 직원에게 푸대접을 받는 몸매가 되었지만 이제 25만 원을 버는 데 한 달씩 들일 필요가 없어졌다. 20년 넘게 쉬지 않고 내 콘텐츠에 투자한 덕분이다.

103동 505호 멤버에서 탈퇴하라

컨테이너는 세월이 지나면 한계에 이르지만 콘텐츠는 숙성해져 더욱 특별해진다. 사람은 누구나 세월이 가면 늙게 마련이다. 아무리 붙잡으려고 온갖 좋다는 마사지를 받고 레이저 광선을 쏘아대도 다 표가 난다. 그러나 "저 사람은 어떻게 저런 것을 알고 있을까?" "언제 자신한테 저렇게 투자했을까?" "어떻게 그런 열정을 간직할 수 있었을까?" 하고 감탄할 만큼의 농익은 콘텐츠는 수술로 얻을 수 있는 것이 아니다.

솔직히 아내들이 콘텐츠를 쌓고 개발하는 것이 쉽지만은 않다. 다행히도 워킹맘의 경우 사회생활을 하다보니 비교적 다양한 사람들을 만나고 다양하게 경험하면서 콘텐츠를 쌓을 기회를 만들 수 있다. 그런데 전업맘의 경우 가족을 지원하는 일에 치여 자신에게 투자할 여력과 시간, 비용을 챙기지 못한다. 거기다 '103동 505호 멤버'가 되면 콘텐츠 개발은 점점 물 건너가게 된다. 비슷한 수준의 아내들이 모여 매일 비슷한 이야기를 하다보면 콘텐츠 개발은 그만두더라도 세상은 무한속도로 발전하는데 혼자만 뒷걸음질할 수밖에 없다.

그래서 나는 이 '103동 505호'를 아내들이 가장 먼저 파괴해야 할 여성의 적으로 꼽는다. 103동 505호 멤버들의 대화에는 특징이 있다.

첫째, 했던 이야기를 수없이 리바이벌한다

남편 이야기, 시댁 이야기, 학원 이야기, 동네 이야기 등 뻔한 이슈와 테마를 가지고 몇 달 전에도 나누었던 대화를 반복한다. 주부들이 끼리끼리 모여 할 수 있는 대화의 범위는 매우 한정적이기 때문이다.

둘째, '내가 더 못 산다' '내가 더 힘들다' 등 자신을 부정적으로 평가한다

이건 아주 주목할 만한 특징이다. A가 "우리 시댁은 너무 못살아. 나 왜 이렇게 후진 남자를 만났지?"라고 말하면, 옆에 있던 B는 한술 더 뜬다. "나는 시어머니 때문에 미치겠어. 왜 우리가 용돈을 드려야 하냐고." 그럼 또 C는 "애, 그래도 넌 나보다 행복한 줄 알아. 나는 우리 시누이 과외비도 대잖아"라고 받아친다. 서로 친해지기 위해서 '내가 더 못산다'는 점을 드러내려고 무척 애쓰는 것이다. 그런데 그중에도 꼭 이런 사람이 있다. "어머, 너희는 시집을 어쩜 그렇게 갔니? 난 우리 시어머니가 철철이 백화점에서 옷 사주시잖아"라며 분위기 깨는 사람들은 바로 집으로 보내버린다. 서로 감정적으로 몰입되어 있는 상태니 제정신으로 자기 생각을 이야기했다가는 왕따당한다.

셋째, 대화 수준에 맞춰 차츰 분별력을 상실해간다

"부동산이 대세래. 우리가 돈도 안 버는데 이런 거라도 해야지 않겠어"(부동산으로 돈 벌었다는 사람을 진짜로 본 적은 없다). "맞아, 어디서 봤는데 3천만 원만 있으면 전세 끼고 금방 배로 키울 수 있다고 하더라"(어디서 봤는지 정확하게 기억하지 못한다). "내 친구의 시누이 사돈도 부평에 사는데 집값이 3배나 올랐대"(이런 대화에 나오는 인물은 항상 누구의 사촌의 사돈이거나 서너 번은 건너간다. 실제로 그런 사람이 있는지도 의문이다). 이런 부정확한 정보에도 다른 견해를 말하지 못하게 된다. 첫째 이유처럼 대화 수준이 낮고, 둘째 이유처럼 자칫 왕따가 될 수 있기 때문이다. 그러면서 차츰 정말로 분별력을 상실해간다. 그냥 그중 한 명이 하는 말을 무조건 옳다고 생각하는 지경에 이르고 자신들이 잘못된 정보에 오염되었다는 사실을 서로 말해주지 못한다.

콘텐츠는 얼굴의 주름을 우아하게 만든다

내 직업을 무척 소중하게 생각하는 이유는 매일 다른 곳에 가서 다른 환경과 처지에 놓여 있는 사람들을 만나기 때문이다. 바로 어제까지 내가 옳다고 생각했던 것이 아무것도 아닌 것으로 느껴지기도 하고, 무언가 가르치러 갔다가 더 많이 배우고 오는 것이 내 직업이다.

한 달 평균 만 명을 만나 강의하면서 나는 내가 얼마나 무식한 사람인지 매일 깨닫는다. 도올 김용옥 선생님의 말씀 가운데 참으로 가슴에 와닿는 것이 있다. '지(知)의 가장 큰 선생이 무지(無知)'라는 것이다. 자신이 모른다고 생각하는 순간부터 알려고 노력하기 때문이다. 그러면 지의 가장 큰 적은 무엇일까? 바로 지다. 자신이 모든 것을 안다고 생각하는 순간부터 알려는 노력을 하지 않기 때문이다.

24세 때까지 배운 지식으로 평생을 우려먹으려면 꼭 필요한 것이 있는데, 바로 고집이다. 고집이라도 있어야 변하지 않는 자기 자신을 보호할 수 있기 때문이다. 그래서 콘텐츠를 개발하기 위해서 투자하지 않는 사람들을 보면 대체로 얼굴에 고집이 덕지덕지 붙어 있다.

50대가 되었을 때, 젊은 사람들에게 뭔가 하나라도 줄 수 있는 사람, 젊은 사람들이 뭔가 하나라도 배워갈 수 있는 사람이 되어야 하지 않을까. '딱 아줌마네'라는 소리는 듣지 말아야 하지 않을까. 나 역시 그런 고민을 많이 한다. 나이에 걸맞은 콘텐츠가 있는 사람, 내 콘텐츠로 다른 사람에게 감동을 줄 수 있는 사람이 되고 싶다. 세월이 흐르면서 나잇살도 늘고, 배도 나오고, 주름도 늘겠지만 그런 것들을 다 커버할 수 있는 아름다운 사람이 되고 싶다.

〈로마의 휴일〉과 〈티파니에서 아침을〉의 오드리 헵번을 알 것이다. 그녀가 세상을 떠난 뒤에도 정말 아름다운 사람 가운데 한 명으로 꼽히는 이유는 영화에서 아름다운 배역을 맡아서가 아니다. 그녀가 죽을 때까지 혼신을 다한 봉사활동 덕분이다. 그녀는 은퇴한 뒤 유니세프 친선대사로 활동하면서 기아에 시달리는 아이들을 위해 오지를 마다하지 않고 달려가서 일했다. 그녀가 보여준 사랑의 실천과 봉사하는 정신은 스크린에서보다 훨씬 빛났다. 여성으로서 내가 어떻게 살아야 하는지, 어머니로서 자식에게 무엇을 주어야 하는지, 내 사랑을 어디까지 나누어야 하는지를 그녀의 삶을 보면서 깨닫는다.

헵번이 죽기 1년 전 크리스마스이브에 아들에게 남긴 유언을 보면 그녀가 얼마나 아름다운 삶을 살았는지 더욱 선명하게 알 수 있다.

아름다운 입술을 갖고 싶으면, 친절하게 말하라.

사랑스러운 눈을 갖고 싶으면, 사람들에게서 좋은 점을 보라.

날씬한 몸매를 갖고 싶으면, 네 음식을 배고픈 사람과 나눠라.

아름다운 머리카락을 갖고 싶으면,

하루에 한 번 어린이가 손가락으로 네 머리를 쓰다듬게 하라.

아름다운 자세를 갖고 싶으면,

너 혼자 걷고 있지 않음을 명심하며 걸어라.

사람들은 상처에서 치유되어야 하고

낡은 것에서 새로워져야 하며

병에서 회복되어야 하고

무지함에서 교화되어야 하며

고통에서 구원받고 또 구원받아야 한다.

결코 누구도 버려서는 안 된다.

기억하라.

도움의 손길이 필요하다면 네 팔 끝에 있는 손을 이용하면 된다.

더 나이가 들면 손이 두 개라는 사실을 알게 될 것이다.

한 손은 자기 자신을 돕는 손이고,

다른 한 손은 다른 삶을 돕는 손이다.

남편과 아이는 1순위,
나는 0순위

내가 자란 충북 증평은 작은 읍이다. 면 소재지와 리 단위의 작은 동네로 이루어져 있는데, 사람들은 대부분 자영업을 하거나 농사일을 했다. 우리 양장점 앞에는 작은 철물점이 있었는데, 그 집 아주머니 얼굴은 시골 철물점과 어울리지 않게 참 고왔다. 그런데 그 아주머니 옆을 지날 때면 이상하게 닭똥 냄새가 났다. 나중에 알고 보니 그 아주머니는 매일 달걀을 거품 내서 얼굴에 마사지했다. 윤기 넘치는 피부의 비결이 바로 달걀 마사지였던 것이다.

40~50대들은 다들 기억하겠지만, 그 당시는 도시락에 달걀 프라

이 하나만 있으면 반 친구들의 부러움을 한 몸에 받을 만큼 달걀이 귀한 시절이었다. 달걀을 파는 곳도 동네에 한 군데밖에 없었고, 달걀은 소풍 가는 날처럼 특별한 날이나 먹을 수 있는 것이었다. 달걀 장사 하는 집 애들은 잘못해서 달걀이 깨지면 그날은 달걀 프라이를 먹을 수 있다며 좋아했고, 모두들 그 친구를 부러워했다.

한번은 우리 양장점에 철물점 아주머니와 달걀집 아주머니가 모여 이야기를 나누셨는데, 철물점 아주머니가 "깨진 달걀 있으면 얼굴에 발라봐요" 했다가 달걀집 아주머니한테 "얼굴에 바를 달걀이 어디 있어? 애들 키 크게 하려면 달걀을 얼굴에 바르지 말고 자식들이나 해 먹여"라고 핀잔을 들었다.

다른 아주머니들도 철물점 아주머니가 없으면 늘 그 아주머니가 이상하다며 쑥덕거렸다. 얼굴에 달걀 좀 발랐다고 철물점 아주머니는 거의 '자기 몸뚱이밖에 모르는 몹쓸 엄마' '이기적인 여편네'로 낙인찍혔던 것이다. 그런데 세월이 흘러 지금 그 아주머니는 우리 양장점에 오시던 아주머니 가운데 주름도 가장 없고 젊은 할머니가 되셨다. 그 집 아들 셋 모두 키가 180cm가 넘는 것을 보면 달걀을 못 먹어서 키가 덜 자란 사람도 없는 듯했다.

어머니는, 아내는 무조건 희생해야 한다는 통념은 지금도 강하지만 그 당시에는 더 심했다. 생각해보면 그 아주머니는 자신을 사랑할 줄 아는 분이셨구나 싶다.

누구보다 나를 아끼고
위해주자

대개 아내들은 자신은 다 해진 남편 러닝을 입고도 아이와 남편은 번듯하게 차려 입히고, 생선을 먹을 때도 가운데 토막은 남편과 아이 주고 자신은 대가리와 꼬리를 먹는 것이 '여자의 도리'라고 생각한다.

전에 어떤 분의 회갑 잔치에 갔는데, 주인공 할머니가 또래 할머니들에 비해 한참 더 늙어보였다. 아마도 그 할머니는 자식들 키우고 남편 뒷바라지하느라 자기를 꾸미고 챙길 시간도 없이 희생하며 살아오셨을 것이다. 그런데 그때 사람들 반응은 아이러니하게도 가족에게 헌신하며 살아온 삶을 칭송하지 않고 "자식이 얼마나 못났으면 자기 엄마가 저렇게 늙게 내버려뒀대?"였다. 그렇게 사람들이 쑥덕거리는 동안 그 할머니의 자식들도 또래 할머니들보다 너무 늙어 보이는 어머니의 모습이 창피했을 것이다.

어머니들은 늘 자기 자신보다는 가족을 우선순위에 둔다. '아낌없이 사랑하는 것'과 '희생하는 것'을 같은 것으로 착각한다. 사랑하는 방법을 모르기 때문이다. 사랑하니까 생선 대가리만 먹는다고 남편과 아이들이 고마워할 줄 아는가. 오히려 생선 대가리를 좋아하는 줄 알 것이다. 가족에게 더 좋은 것을 먹이려고 그러는 거라면 궁상떤다고 할 것이다. 아낀다고 구멍 뚫린 러닝을 입고 있으면 부끄러워할 것이다. 가족의 행복은 아내의 희생으로 유지되는 것이 아니다. 다소 이기적일 만큼 자기 관리를 잘하는 게 오히려 가족의 행복에 도움이 된다.

나에 대한 관심도를 높이자

사람이 살면서 다양한 연애를 경험하듯이 나도 어렸을 때 연애를 꽤 했다. 그런데 연애할 때마다 그 사람에 대한 관심이 아주 많아진다는 것을 느꼈을 것이다. 그 사람에 대한 관심이 많아지면 그에 비례해 궁금한 것도 많아진다. 그래서 밤새도록 뒤척이면서 '아, 그 사람도 나와 같은 생각을 하고 있을까?' 한다. 또 너무 보고 싶어서 눈물이 나면, '그 사람도 울까? 혹시 내 생각이 나서 일기장에 쓰고 있지는 않을까?' 하고 생각한다. 그래서 연애할 때는 유행가를 듣다가 꼭 내 얘기하는 것 같다고 한다. 내가 연애할 때 즐겨 불렀던 노래 가운데 하나가 가수 이선희의 〈알고 싶어요〉다. 7080 세대의 노래지만 시대가 달라져도 연애하는 사람들은 다 공감할 수 있다.

달 밝은 밤에 그대는 누구를 생각하세요?

잠이 들면 그대는 무슨 꿈꾸시나요?

깊은 밤에 홀로 깨어 눈물 흘린 적 없나요?

때로는 일기장에 내 얘기도 쓰시나요?

내가 많이 어여쁜가요? 진정 날 사랑하나요?

그대 생각하다 보면 모든 게 궁금해요.

가사를 음미하면서 노래를 듣다보면, 사랑하게 되면 정말로 사람에 대한 관심이 아주 지극해질 수 있다는 생각이 든다. 그런데 또 한편으로는 '이런 관심을 자기 자신한테 쏟는다면 자기 자신이 얼마나 발전할까?' 하는 생각도 한다. 그런데 아내들은 자기 자신에 대한 관심은 별로 없다.

그러면서 남편과 자식에 대한 관심은 지극하다. 그래서 남편을 지속적으로 탐구하고 남편에게 관심을 나타낸다. 남편이나 자식에 대해서는 그 사람이 무슨 생각을 하는지 표정까지 관리하면서 정작 내 자신에 대해서는 어떠한가?

나는 사람들이 자기가 무슨 생각을 하는지, 가슴속에서 어떤 일이 일어나는지, 자기 자신에 대해서 관심을 갖고 자신과 일관되게 습관적으로 대화하는 습관을 들여야 한다고 생각한다.

강의하면서 만나는 아내들에게 '아이가 몇 학년이냐?' '아이의 특기는 무엇이냐?' '아이의 진로는 어떻게 계획하고 있느냐?' 고 물어보면 모르는 게 없이 척척 대답한다. 그런데 '당신의 특기는 무엇이냐?' '앞으로 뭘 할 거냐?' 고 물어보면 당황한다. '몇 살이냐?' 고 물었을 때 대답하지 못하는 아내들도 있었다.

'내 나이 60이 되면 우리 애는 뭐가 돼 있을까?' '내 나이 60이 되면 남편이 뭐가 돼 있을까?' 가 중요한 것이 아니다. '내 나이 60이 되면 나는 어떤 모습으로 살고 있을까?' '내 나이 60이 되면 나는 어느 장소에 가장 많이 가 있는 사람이 되어 있을까?' 에 관심을 가져야 한다.

엄마와 며느리라는 이름에 미래를 저당잡히지 마라

내가 텔레비전에서 기혼여성 자기계발에 대해 강의하는 것을 본 고등학교 후배 윤정이에게서 오랜만에 전화가 왔다. 윤정이는 공부를 꽤 잘하는 편이었고, 학도호국단에서 대대장을 맡을 만큼 리더십도 있는 당찬 아이였다. 나도 학도호국단에서 활동했기에 1년 후배인 윤정이와 자주 만나곤 했다. 그러나 졸업하고 나서는 연락이 끊겨 어떻게 사는지 몰랐는데, 우연히 텔레비전에 나온 나를 보고 반가워서 회사로 전화한 것이다.

후배는 대뜸 "언니, 음대 가지 않았어? 나는 언니가 작곡과에 들어간 걸로 아는데 텔레비전에서 강의하는 걸 보고 깜짝 놀랐어. 도대체 어떻게 된 거야?"라며 궁금해 죽겠다는 듯 물었다. 자기뿐만 아니라 나를 아는 모든 후배가 어떻게 내가 텔레비전에 나오게 되었느냐며 궁금해 한다고 했다. 전화로는 서로 안부만 나누기에도 불편해 만나기로 했다.

윤정이는 살집이 약간 불기는 했지만 학창시절 그대로였다. 아무리 오랜만에 만나도 여자들의 이야기는 늘 이런 식으로 시작된다.

"어쩜 그렇게 그대로니? 하나도 안 변했다. 고등학교 때랑 똑같네."

서로 입에 발린 칭찬으로 시작한 우리 이야기는 당연히 그 다음 코스인 '애는 몇이냐?' '남편은 뭐 하냐?' '어디에 사냐?' '그동안 어떻게 살았냐?' 등의 질문으로 이어졌다.

윤정이는 숙명여대를 졸업하고 직장에 다니다가 과장 진급을 코앞에 두고 회사를 그만두었다. 시어머니에게 아이를 맡기고 회사에 다녔는데 지병이 있으셨던 시어머니가 건강이 악화되어 아이를 도저히 봐줄 수 없다고 해서 어쩔 수 없이 퇴사했다. 당시 세 살이던 아이를 좀 무리해서라도 놀이방에 보내려고 했으나 엄마의 손맛을 안 아이가 도무지 떨어지려고 하지 않았다. 아이들은 대개 한두 살 때에는 엄마와 떨어지는 것의 의미를 잘 모르다가 어느 정도 나이가 되면 엄마에게 강하게 집착한다. 내 경험으로도 대략 세 살에서 네 살 때 집착이 시작되었던 것 같다.

직장을 더 다닐지 말지 고민하던 차에 시어머니의 건강이 더 악화되어 윤정이는 마음을 정리하게 되었다. 더군다나 남편도 윤정이에게 아주 그럴듯하게 설득했다.

"당신 월급 받아서 애 보는 사람한테 주고 나면 얼마 남지도 않아. 차라리 당신이 집에서 애 잘 키우면 그게 더 남는 거야. 안 그래?"

그런데 아이가 중학교 1학년이 된 지금, 윤정이는 후회하고 있었다. 아이에게 필요한 엄마의 손길은 점점 줄어들었고, 이제 와서 현장으로 돌아갈 수도 없었다. 윤정이의 10년 전 경력을 사려는 회사는 없었다.

"언니, 나 뭐 하면 좋을까? 지금 다시 취업하려고 보니까 예전에 내가 했던 일은 이제 할 수 없어. 누가 날 뽑아주겠어? 그렇다고 슈퍼마켓에서 캐셔를 하자니 공부한 게 아깝고 보험 세일즈를 하려니 잘하지 못할 거 같아 두렵고…. 정말 10년을 쉬고 나니까 내가 무용지물이 됐구나 하는 생각이 들어."

윤정이의 이야기를 들으면서 내 속이 답답해졌다. 윤정이처럼 10년 동안 공백이 있는 사람이 일할 만한 곳을 찾기는 쉽지 않다. 내가 보기에 윤정이는 현재 사회가 필요로 하는 지식이 있는 것도 아니고, 나이에 맞는 경험이 있는 것도 아니고, 사회적인 인간관계를 폭넓게 쌓아온 것도 아니다. 전문성은 물론이고 자신감까지 상실한 전업맘을 고용하려는 기업은 없다.

"언니, 옛날에도 강의했어? 10년 전에 내가 언니를 만났다면 얼마나 좋았을까? 그럼 주변의 감언이설에 속아 현실에 안주하지 않고 다소 고단하지만 투쟁적인 삶을 택할 수도 있었을 텐데…."

"그래도 너 애 잘 키웠잖아."

나는 그냥 위로의 말을 해줄 수밖에 없었다.

"언니, 근데 꼭 그렇지가 않아. 우리 딸은 내가 회사에 계속 다녔어도 잘 컸을 거야. 아니 어쩌면 더 강하고 엄마를 배려할 줄 아는 더 괜찮은 아이가 되었을지도 몰라. 10년 전으로 다시 돌아간다면 아마 난 우리 딸을 어디엔가 맡기고 부족한 시간이지만 그 시간이라도 잘 활용해서 애도 키우고, 살림도 하고, 내 커리어도 쌓으면서 잘 살았을 것 같아."

사실 윤정이의 친구들 가운데 몇몇은 중소기업체 사장도 있고, 외국 화장품 회사 부장도 있고, 대학교수도 있다. 윤정이는 그 친구들이 고군분투하면서 살림과 육아, 비즈니스 사이에서 생존하는 것을 보아왔고, 지금에 와서 그들이 얻은 근사한 명함만큼 당당한 삶을 부러워했다. 10년만 잘 견뎠다면 지금쯤 윤정이도 그런 친구들에게 절대 뒤지지 않는 멋진 명함을 내밀 수 있었을 텐데 너무나 안타까웠다.

10년 전 갈등하던 순간에 누군가 윤정이에게 좋은 조언을 해줄 수만 있었다면 윤정이는 지금쯤 또 다른 삶을 살고 있을 텐데 말이다.

나는 텔레비전에서 강의하거나 전국을 누비며 강의할 때마다 늘 마음속으로 기도한다. 매달 만나는 만 명의 여성 가운데 단 몇 명이라도 내 메시지를 듣고 결단의 순간에 좀더 현명하게 판단할 수 있다면 얼마나 좋을까! 그것이 내가 오늘도 피곤하고 힘겹지만 그들을 만나기 위해 발길을 옮기는 가장 중요한 이유다.

그냥 나쁜 여자로
찍히는 게 낫다

사실 우리나라 가정을 들여다보면 아내를 제외한 다른 가족만이 자기 욕심을 채우며 가정생활을 유지해 나가는 경우가 아직도 많다.

며느리의 꿈과 직장은 아무것도 아니라고 생각하는 시어머니는 시집 간 딸에게 줄 반찬을 만들어야 한다며 회사일이 있다는 며느리에게 일찍 들어오라고 하고, 시댁 제사 때는 직장에서 아무리 바쁜 일이 있어도 반드시 와야 한다고 요구한다.

엄마의 꿈과 직장은 아무것도 아니라고 생각하는 아이들은 급식 당번 때 빠지면 안 되고, 친구들과 놀 때 간식을 손수 만들어주기를 바라며, 운동회 때 반드시 와야 한다고 떼를 쓴다.

아내의 꿈과 직장은 아무것도 아니라고 생각하는 남편은 맞벌이 아내의 고충은 이해하려 하지 않고 집안일 잘해놓고 다닐 자신 있으면 직장 다니고 아니면 말라는 이기적인 발언을 서슴지 않는다.

가족의 이러한 요구 사항은 세세히 따지고 들어가면 그들 스스로 처리해도 되는 것이 대부분이다. 물론 엄마가, 아내가, 며느리가 해주면 더할 수 없이 좋겠지만 그러한 편의 제공이 '엄마, 아내, 며느리가 자신의 세계를 철저하게 포기 혹은 희생' 함으로써 제공되는 것이라는 기특한 생각을 하는 가족은 없다. 결국 다들 자기만 행복하겠다고 가족 가운데 한 사람인 여자(엄마, 아내, 며느리)에게 이기적인 요구를 하는 것이다.

가족의 이기적인 요구를 들어주지 않으면 좋은 엄마, 좋은 아내가 아니라는 한국적 정서에서 살아온 여성들은 가족 틈에서 옴짝달싹 못해 한 걸음도 앞으로 내딛지 못하고 자신을 잃어버린 채 혼자 속으로만 눈물을 흘렸다. 아내와 엄마가 아닌 다른 일을 할 수 있는 능력을 그대로 묻어두고.

이제 당신에게도 꿈이 있고 당신이 하는 일도 중요하다는 사실을 가족에게 알려야 한다. 요구를 다 들어주지 못하는 것이 사랑하지 않기 때문이 아니라는 사실을 가족에게 분명히 인지시켜야 한다. 요구를 들어주지 않는 것이 사랑하지 않기 때문이라면 유명한 여성 정치인들이나 성공한 여성들의 경우, 어떻게 가정을 유지하고 살겠는가? 사회적으로도 유능하지만 가족의 요구도 다 들어줄 만큼 완벽하게 유능해서 그럴까? 결코 그렇지 않다. 가족의 행복이 한 사람의 희생으로만 가능한 것이 아님을 처음부터 인지시키고 각자 열심히 살았기 때문이다. 당신 가족은 어떤가?

　이제 다른 사람들의 이기적인 욕심에서 벗어나 자신을 지켜라. 그 사람이 가족일수록 더욱 그래야 한다. 그래야 당신이 살아서 당신 세계를 만들 수 있다. 당신이 진정으로 살아 있는 삶을 살아가고 당신만의 세계에서 당당해질 때 비로소 함께하는 이들도 당신의 당당한 세계 안에서 참된 행복을 누리게 된다.

가슴이 보내오는
시그널에 따라라

작곡을 공부한 내 첫 직장은 광고회사였다. CM송
을 만드는 일을 했는데 오래가지 못했다. 가장 큰 이유는 엔지니어들
과 마찰이 생겼기 때문이다. 오랜 경력을 근거로 단단해진 그들의 고
집과 CM송도 창작이라는 생각으로 밀고 나간 내 고집이 갈등을 일으
켰다. 그들은 까마득한 신참이 제 의견을 빡빡 우기는 것이 마음에 들
지 않았을 것이고, 나는 나대로 그동안의 관행이야 어쨌든 작곡은 내
몫이라는 생각을 조금도 양보하고 싶지 않았다. 결국 심한 언쟁까지
하고 회사를 그만두었다. 생각해보니 그것은 기 싸움이었다. 하지만

엔지니어들과의 마찰이 회사를 그만둔 이유의 전부는 아니었다.

월급이 너무 적은 점도 꽤 크게 작용했다. 그 당시 월급이 25만 원 정도였는데, 어느 세월에 돈을 모으나 싶었다. 시댁에도 얼마씩 드려야 하는 상황이었다. 보수가 적은 데다가 그것을 상쇄할 만한 보람이나 재미마저 없었으니 직업으로 매력이 없다는 판단을 내린 것이다.

회사를 그만두고 피아노 레슨을 하기로 마음먹었다. 음악은 내가 좋아하는 것이니 일단 재미는 있을 것 같았고, 회사원으로서가 아니라 주체적으로 할 수 있는 일이니 그 또한 흥미로울 것이라고 생각했다. 그 당시 레슨비가 한 달에 3만 원이었으니 10명만 가르쳐도 월급보다 많았다.

나는 사업계획을 치밀하게 세웠다. 시작하면 성공해야 직성이 풀렸기 때문에 대충 시작할 수 없었다. 따로 경영공부를 하지 않았지만 주먹구구식으로는 그 어떤 일도 성공할 수 없다는 개념이 서 있었다.

가장 먼저 전단지를 만들어 전봇대며 아파트 입구에 붙이고 다녔다. 경비원 아저씨 눈을 피해가며 붙이는데 '부끄럽다'는 생각보다 '어떻게 하면 많이 붙일까'라는 생각만 했다. 하지만 경비원 아저씨가 정말 무섭긴 무서워서 붙이다 들키면 줄행랑을 치기도 했다. 하다하다 나중에는 경비원 아저씨를 아군으로 삼는 방법을 택했다. 담뱃갑을 쥐어드리며 애교 있게 부탁하는 방법이었다. 거절하는 아저씨는 없었다. 오히려 도와주시려 하셨다.

마음 통하는 사람들끼리, 없이 사는 사람들끼리의 담배 한 갑이 엄청난 걸 바꿀 수 있다는 것을 20대 후반에 배웠다. 아마 직접 해보지 않았으면 몰랐을 것이다. 그 추운 날씨에 전단지 400장을 붙이고 다녔던 날, 밤새 이불을 뒤집어쓰고 울었다. 서럽기도 하고 처절하기도 하고, 이유를 알 수 없는 오기가 나기도 했다. 그리고 그 눈물은 다음 날부터 보상을 받기 시작했다. 엄마들에게 전화가 오기 시작한 것이다. 그 전화를 받으면서 내가 그렇게 상냥하게 전화를 받을 수 있다는 사실도 알게 되었다. 목표를 가지고 덤벼들면 자신도 모르는 여러 가지 능력이 발휘되게 마련이다.

그렇게 하여 '김미경 피아노 교실'이 탄생했다.

무조건 부딪쳐보자

나는 단순히 피아노 레슨 선생님으로 그 일에 접근하지 않았다. 선생님이자 피아노 교실 경영인으로 접근했다. 사업에 성공하려면 어떻게 해야 하는지 연구에 연구를 거듭했다. 그때 가장 큰 화두는 '어떻게 하면 고객을 만족시킬까?' 하는 것이었다. 나온 답은 '고객을 감동시키자.' 그때까지만 해도 경영관련 책들을 읽지 않았는데 그런 생각이 들었다. 관심과 애정을 가지면 아이디어는 나온다는 것을 이때 체험했다.

피아노 교실을 시작한 뒤 남편 아침식사 메뉴는 무조건 토스트였다. 집에서 국이나 찌개 냄새, 반찬 냄새가 나지 않게 하기 위해서였다. 원룸이라 주방이 드러나 있었는데 예쁜 커튼으로 가렸으며, 옷도 회사에 출근하는 사람처럼 입었다. 그곳은 내 집일 뿐 아니라 회사였던 것이다.

금방 입소문이 났다. 나도 예측하지 못한 정도의 반응이었다. 나중에는 레슨받는 아이들이 60명 정도 되었다. 처음에 피아노 한 대로 시작했지만 나중에는 넉 대를 더 들여놓아야 했다. 잠은 그야말로 피아노 다리 사이에서 잤다.

피아노 연주곡이야 아름답지만, 레슨 중인 아이들이 내는 소리는 소음이나 마찬가지다. 그런데도 한 건물에 사는 사람들이 이해해주었다. 미리 양해를 구하고 조치를 취해둔 결과였다. 이웃들을 미리미리 수다와 선물로 내 지원자로 만들어둔 것이다.

목표로 삼은 무엇인가를 이루어나가려면 이런 적극적인 자세가 필요하다. 사람들은 마음에 거리감이 있을 때는 누군가의 행동에 트집을 잡지만 거리감을 없애면 오히려 지원해준다. 이러한 노하우는 실제 생활에서 부딪히면서 얻는 수확이다. 평생 아무것도 하지 않으면 얻을 수 있는 것은 아무것도 없다는 것을 명심해야 한다.

1년도 안 되어 아이들이 너무 많이 늘어서 더는 집에서 수용할 수 없었다. 드디어 사업을 본격적으로 벌일 시기가 온 것이다. 동네 상가 건물 2층에 피아노 학원을 차렸다. 학원을 연 뒤로 새벽 6시면 학원에 나갔다. 내 노력으로 번듯한 학원을 차렸다는 것이 기쁘고 좋아서였다. 집에서 할 때보다 모든 면에서 더 잘하려고 노력했다. 강사들의 인적 사항은 다 외웠고, 수강생들의 인적 사항도 모두 기억하려고 애썼다. 그리고 한 달에 한 번씩 학원비 봉투 보낼 때마다 일일이 한 달 동안 있었던 일을 글로 써서 보내주었다. 아이가 무엇을 배우고 있고 무엇을 잘하고 못하는지, 어떤 성향을 보이는지 써서 보냈는데, 그것이 엄마들에게 반응이 무척 좋았다. 그뿐만 아니라 틈틈이 사진을 찍어두었다가 꼭 두 컷 정도 함께 보냈다. 인기가 그야말로 '짱'이었다.

그리고 그 사진은 바로 우리 학원 홍보로 이어졌다. 엄마들이 그 사진을 냉장고에 붙여두었고, 그것을 본 이웃 사람들과 차를 마시면서 자연스럽게 우리 학원 이야기가 나왔다. 거짓말처럼 아이들이 몰려왔다.

모든 것이 고객감동을 실천하는 과정이었고 그 열매는 다디달았다. 1년 만에 원생 200명을 확보했고, 강사는 10명 정도 되었다. 내가 좋아하는 일로 시작한 사업은 대성공을 거두었다.

내가 주어진 현실에 안주했다면 이것이 가능한 일이었을까? 못마땅한 마음에 눈살을 찌푸리면서 꾸역꾸역 회사를 다녔거나, 전업맘으로 머물렀다면 내 이름을 딴 학원이 그토록 번창하는 모습을 지켜볼 수 있었을까? 삶의 주인공이 되느냐 마느냐는 것은 처한 현실을 어떻게 다루느냐에 달려 있다.

그렇게 신이 나서 학원을 운영한 지 3년쯤 지났다. 여전히 학원은 잘 되고 있었다. 학원을 연 뒤 항상 넘치는 열정으로 생기 있게 생활했다. 일이 많아 잠이 부족해도 언제나 활기가 가득 찼다. 재미있었기 때문이다. 철저히 준비해서 하나씩 실천해나가는 맛도 좋았고, 그 결과 계획대로 원생이 늘어가는 재미도 예상보다 훨씬 좋았다. 게다가 아이가 피아노 치는 것을 좋아하게 되었다는 인사말이나, 예중에 합격했다는 감사의 말이라도 듣게 되면 하루 종일 싱글벙글 웃음을 달고 다녔다.

그런데 그 기쁨과 보람은 유통기간이 그다지 길지 않았다. 피아노 교습을 시작한 지 3년쯤 지나자 갑자기 그 일이 재미가 없었다. 시간이 지날수록 엄마들과 접촉하는 일이 적성에 그다지 맞지 않는다는 것을 깨달았다. 게다가 내가 하는 일이 기계적이라는 생각이 자꾸 고개를 쳐들었다. 그와 함께 언제부터인가 알 수 없는 느낌이 자꾸 나를 잡아당겼다. 전처럼 신나지도 않았고 꼭 무엇을 잃어버린 듯 허전한 기분이 들기도 했다.

그러던 어느 날이었다.

"차가 이렇게 늦게 오면 어떡해요? 이런 일이 자꾸 있으면 곤란하죠. 학원은 거기만 있는 게 아닌데."

전화를 건 엄마는 피아노 학원 차가 제 시간에 오지 않는다며 찬바람 부는 목소리로 협박 아닌 협박을 했다.

"네네, 그럼 기사 아저씨한테 연락해볼게요. 기다리게 해서 죄송합니다. 어머니."

한 엄마가 차가 제 시간에 오지 않는다며 전화를 했다. 솔직히 너무 늦게 도착하는 것은 아니었다. 약속한 시간에서 7분 정도는 도로 사정상 혹은 앞 지점에서 타는 아이가 늦게 나오는 바람에 늦어질 수 있는 시간이었다. 아이가 사정이 있어 늦게 나올 때는 '고작' 몇 분이고, 차가 오지 않을 때는 '몇 분씩이나' 늦는다고 말하는 게 엄마들이었다. 사람들은 대부분 자기 처지에서 사고하고 판단하는 데 더 익숙하니까 이해할 수 있는 일이었다. 기사에게 연락해보니 예상대로 길도 막히고 두 아이나 늦게 나오는 바람에 늦어지고 있다고 했다.

전화를 끊고 나서 한동안 가만히 앉아 있었다. 창밖 하늘은 비현실적으로 파랗고 맑았다. 반대로 내 마음속 컬러는 어두운 색으로 가라앉고 있었다. 꼭 전화 때문만은 아니었지만 전혀 상관없다고도 할 수 없었다. 여름이 지나면서부터 종종 알 수 없는 느낌에 쫓겨 밑도 끝도 없는 생각에 잠겨 있는 날이 많았다. 굳이 변화의 결정적인 계기를 찾자면 오랜만에 친구들과 만난 일 때문이었다.

꿈은 진화하고 바뀌는 것이다

음대를 다녔으면서도 정외과나 신방과 친구들과 많이 친했는데 그 친구들은 거의 직장생활을 하고 있었다. 그 친구들은 나와는 전혀 다른 세상에서 살고 있었다. 그들이 사용하는 단어가 신기하고, 새롭고, 솔직히 부러웠다. 그리고 내가 쓰는 단어의 한계를 느꼈다. 또 한정된 인간관계를 새삼 생각하게 되었다.

하늘이 유난히 푸르던 그날, 나는 그 알 수 없는 기운이 뭔지 그냥 둘 수 없다는 생각을 했고, 결국 중대한 결심을 했다.

'평생 동네 피아노 선생님으로 살 거야? 세상이 얼마나 넓고 다양한데?'

그때부터 나는 피아노 학원 원장이라는 타이틀을 버리기로 했다. 사실 인기 학원이었기 때문에 수익 면에서는 아주 좋았다. 초창기에 고생해서 그렇지 저절로 수입이 생기는 셈이었다. 하지만 돈이 내 인생의 가장 중요한 기준이 될 수는 없었다. 나 자신이 주체가 되어 살아갈 때 살맛나는 내가 아니었던가.

학원을 정리할 생각을 하면서 무엇을 할까 내내 고민했다. 그러다가 학원협회에서 마련한 강의에 참석하게 되었다. 학원 원장들을 대상으로 한 강의였는데, 그분의 강의를 들으면서 그야말로 머리에서 종소리가 나는 것 같았다. 강사라는 직업이 바로 내가 찾던 것이라는 생각이 들었다.

사람들에게 뭔가 알려주고 안내하는 역할 그리고 그러기 위해 끊임없이 공부하고 계발해야 하는 직업, 리더십도 있어야 하고 말도 잘해야 하는 직업, 내게 딱 맞는 일이었고 어쩐지 내가 하면 아주 잘할 것 같다는 근거 없는 자신감도 생겼다.

그래서 당장 강사가 되는 길을 알아보기 시작했는데, 정해진 방법이 따로 없었다. 요즘에야 나 같은 직업강사가 여럿 있고, 우리 회사처럼 강사를 양성하는 데도 있지만 그 당시에는 배울 곳도 가르쳐주는 강사도 마땅하지 않았다.

회사나 단체에 나가서 강의하는 강사는 대부분 과거에 기업에서 교육 담당자로 오래 근무하던 사람들이었다. 그런 상황에서 음대 출신에 직장 경력도 없는 여자가 산업강사를 하겠다고 뛰어들었으니 완전히 '맨땅에 헤딩' 하는 격이었다. 당연히 몇 배의 난관과 어려움이 진을 치고 있었다. 하지만 나는 처음부터 '포기' 라는 단어는 없애버리고 덤벼들었다.

딜을 해야 하는 순간에는 과감하게

나는 더 머뭇거리지 않고 학원을 친구에게 넘겼다. 그리고 곧장 중앙대학교 야간대학원의 산업지도자과정에 등록했다. 등록하고 보니 제대로 찾았다는 판단이 들었다. 수강신청한 사람들은 나처럼 강사를 꿈꾸는 사람들이거나 이미 강사 일을 하고 있는 사람들이었다. 공부는 당연히 열심히 했고, 함께 공부하는 그들과 연구했다.

그리고 책을 엄청나게 읽었다. 학창시절 내내 읽은 책을 모두 합해도 그때 읽은 책보다는 적을 것이다. 마치 오랜 가뭄 끝에 단비를 만난 것처럼 책 내용이 머릿속으로 쏙쏙 들어왔다.

나름대로 준비기간이 끝난 다음, 2단계 행동에 들어갔다. 강의할 준비가 끝났다고 해도 누가 내게 강의를 의뢰하겠는가? 그 누구도 내가 사람들을 움직일 수 있는 강의를 할 것이라고 믿지 못하는 상황이었다. 나를 알려야겠다고 마음먹었다. 각 회사의 교육담당 부서와 담당자를 알아내 일일이 메일과 편지를 동시에 보냈다. 대략 200군데였던 것 같다. 당연히 어디에서도 회신이 오지 않았고, 아무도 나를 찾아주지 않았다. 메일을 보낸 지 한 달이 가까워질 무렵 드디어 한 곳에서 연락이 왔다. 대우자동차에서 여직원을 대상으로 강의를 해달라는 것이었다. 그때 기분은 이루 말로 다 표현할 수 없었다.

피곤한 몸을 이끌고 퇴근한 남편을 앞에 앉혀놓고 2주일 동안 맹렬하게 강의연습을 했다. 첫 강의 때 내가 무슨 말을 하는지도 모르는 상황에서 강의했다. 다행히 결과는 좋았고 여기저기 입소문이 나기 시작하면서 다른 곳에서도 하나 둘씩 강의 의뢰가 들어오기 시작했다.

그때부터 강사 인생이 시작되어 예상보다 훨씬 빨리 자리를 잡기 시작했다. 나는 더 전문적이고, 더 조직적으로 강의하기 위해 1996년 '미래여성연구원'을 설립했다. 그 뒤 삼성, LG, 포스코 등 대기업과 정부기관을 대상으로 강의를 했다. 내 노력이 좋은 결실을 맺어 삼성경제연구소가 뽑은 '최고의 명강사 톱15'에 포함되기도 했는데, 살아가면서 그런 순간의 기쁨과 보람이 얼마나 큰 힘이 되는지 모른다. 그

리고 회사 이름도 '미래여성연구원'에서 '더블유인사이츠(W.insights)'
로 바꿨다. 연구뿐 아니라 마케팅, 컨설팅 등으로 사업영역을 확장하
기로 마음먹었기 때문이다.

당신의 꿈을 부활시켜라

요즘은 강의가 많아 강의 의뢰
를 다 소화하지 못할 정도다. 이제는 내가 가르치고 나와 함께 일하는
우리 회사의 다른 강사들도 강의를 잘하므로 내가 직접 뛰는 강의는
조금씩 줄이고 있다. 나는 우리 회사의 다른 강사들에게 아낌없이 내
콘텐츠를 나눠준다. 그리고 다시 끊임없이 새로운 것을 연구한다. 왜
냐하면 한 명이라도 더 많은 사람이 강의를 듣고 나름대로 자신의 인
생을 멋지게 꾸려나가기를 바라기 때문이다.

내가 직장을 때려치운 다음 전업맘으로 살았다면, 피아노 학원
원장으로 머물렀다면 지금 느끼고 누리는 많은 행복을 놓쳤을 것이다.
이는 전업맘으로 살거나 학원 원장으로 일하는 것이 내가 지금 하는
일보다 가치가 없다는 뜻이 아니다. 꿈을 이루려는 노력을 멈추지 않
았기 때문에 더욱 행복할 수 있다고 말하는 것이다. 그리고 꿈이 무생
물처럼 변하지 않는 게 아니라 끊임없이 변하고 진화해감을 경험을 통
해 확인했다고 말하는 것이다. 꿈을 화석으로 만들지 않고 진화시켜나
갈 때 사람은 살아 있는 맛을 느끼고 가치 있는 삶을 살게 된다. 꿈이

진화하려면 그 꿈을 꾸는 사람이 끊임없이 자기계발을 통해 발전해나가야 한다.

잊고 살았던 꿈을 부활시키고 싶다면 먼저 그 꿈을 이루기 위해서 무엇을 해야 하는지 정확하게 알아보자. 그리고 당장 시작하자. 동시에 중단 없는 자기계발을 하자. 일하는 동안 언제나 자존감이 나를 지탱해주었고, 어려움을 극복해나가는 데 새로운 힘을 주었다. 이 일은 김미경이 가장 잘한다는 가치와 생각이 말이다. 이러한 일은 누구에게나 일어날 수 있다. 내가 꿈을 진화시켰듯이 당신도, 당신 이웃도 그렇게 할 수 있다.

꿈을 이룬 사람과 이루지 못한 사람의 차이는 그것을 위해 자신을 올인했는지 안 했는지 하는 것뿐이다. 뻔한 소리 같고 고리타분한 얘기 같지만 이것은 변하지 않는 진리다.

WORKS

근육을 단련하듯 꿈에 주파수를 맞추고 도전을 훈련하라. 당신이 꿈꾸는 그것은 당신이 저지르거나 해내거나 벌이지 않으면 이루어지지 않는다.

꿈의 목록이
길어질수록
인생은 매혹적일
수밖에 없다

3

...

당신의 꿈을
단단하게 키워가는 방법

여자들이 넘어야 하는
네 개의 산맥

　　나는 스물세 살 때 직장생활을 시작했다. 이제 딱 마흔넷이니까 22년 동안 쉬지 않고 일한 셈이다. 아이 낳을 때 잠깐, 조금 쉬는 기간 잠깐을 빼고는 지금까지 계속해서 일을 하고 있다. 여자가 20대부터 40대까지 쉬지 않고 일하려면 남자는 한 번도 넘지 않아도 되는 산맥을 네 번이나 넘어야 한다.

　　첫째 산맥은 대부분 직장생활을 처음 시작하는 단계에서 온다. 직장생활을 2~3년 하다보면 그냥 이유 없이 다니기 싫을 때가 있다. 이게 바로 첫 번째 산맥이다. 직장이 나한테 안 맞는 거 같고, 하는 일에 소질이 없는 거 같고, 사장이 마음에 안 들고, 월급도 적고, 비전도 없다는 등의 핑계를 대면서 직장을 그만둘 이유를 찾지만 무엇보다 가장 큰 이유는 일이 어느 정도 익숙해지면서 매너리즘에 빠지기 때문이다.

첫 번째 산맥을 간신히 넘고 나면 두 번째 산맥이 나타난다. 대개 스물일곱에서 여덟, 아홉 즈음에 결혼하면서 오는 산맥이다. 직장생활도 할 만큼 했으니 모아둔 돈으로 혼수 장만해서 결혼하고, 남편이 벌어다주는 돈으로 알뜰하게 살림하면서 살고 싶은 마음도 있다. 사회생활을 하던 내 친구들도 결혼하면서 거의 일을 그만두었다.

결혼하면서 일을 그만두지 않고 버티더라도 엄청난 세 번째 산맥이 다가온다. 바로 임신이다. 여자가 임신하면 호르몬이 변해 육체적으로나 정신적으로 매우 힘들어진다. 임신해본 여성이라면 알겠지만 아이가 생기면 무척 졸리다. 그래서 화장실에서 변기 뚜껑 덮고 앉아서 졸기도 한다. 화장실 칸이 좁으면 화장실 칸 벽에 머리라도 기대서 잘 수 있으니 오히려 감사하다.

그런데 그것도 잠깐이지 눈치 보여서 제대로 졸 수 없다. 축하하고 축하받을 일이지만 '임신해서 일 소홀히 하는 거 아니야?' 하는 눈총을 받기가 싫어서 임신했다는 자랑도 하지 못한다. 직장에 다니는 여자들이 대부분 임신 6~7개월이 되어서야 출산휴가 때문에 임신 사실을 알린다고 한다.

일하는 여자들의 실정은 이런데 임신복은 어떤가. 둘째를 낳고 10여 년 만에 막내를 임신해서 임신복을 사러 갔는데, 예나 지금이나 변한 것 없이 '축, 임신'이라고 써붙인 것처럼 여기저기 리본이 달려 있는 것이 아닌가. 배에 달았으면 됐다 싶은데, 등에도 달고, 허리에도 달고…. 어렵게 리본 안 달린 옷을 찾으면 결국 바지 끝에 달려 있었다.

하여간 세 번째 산맥을 넘고 나면 마지막으로 가장 높고 무시무시한 네 번째 산맥에 맞닥뜨리게 된다. 알 만한 사람은 이 네 번째 산맥이 바로 '육아'라는 것을 벌써 눈치 챘을 것이다. 일하는 엄마들이 육아 때문에 겪는 이야기를 들어보면, 전쟁이 따로 없다.

아침에 어린것을 깨우는 것부터 전쟁이다. 안 간다고 떼쓰는 아이를 들쳐들고 애 머리도 산발, 엄마 머리도 산발한 채 놀이방에 데려다놓은 뒤 선생님들 퇴근시간 전에는 애를 찾아와야 한다. 어떤 날에는 가지 말라고 애가 등에 쫙 달라붙어서 떨어지지 않는다. 그러고 손을 쥐고 있으면, 그 힘이 얼마나 센지 하나 떼어내면 하나가 와서 붙고, 하나 떼어내면 하나가 또 붙는다. 그걸 확 집어던지고 출근하면 버스 안에서 '내가 몇 푼이나 번다고 이 짓을 하나?' 하는 생각이 안 들 수 없다.

엄마만 힘든 것이 아니다. 애들은 애들대로 헷갈린다. 아침에는 놀이방에 안 간다고 울어놓고 저녁에는 놀이방에서 자고 가겠다고 운다.

아이가 초등학교에 입학하면 한시름 놓을 것 같지만 그렇지도 않다. 학교는 일하는 엄마를 별로 생각해주지 않는 것 같다. 급식당번이라 해서 자꾸 밥 푸러 오라 가라 하는데, 일하는 여자가 일하다 말고 11시에 밥 푸러 갈 수 있겠는가(요즘에 이 규칙이 없어진다는 얘기가 들리긴 한다. 무조건 빨리 없어져야 한다). 밥 푸는 것이 여자가 전문이라 치자. 교통정리는 왜 '녹색 어머니회'인지 이해가 안 된다.

스트레스는 결국
한 편의 추억으로 남는다

우리나라에 일하는 여성이 얼마나 많은 줄 아는가. 그리고 일하는 여성 중 60%는 맞벌이하는 여성이다. 60%나 되는 여성이 매일매일 아이를 놀이방에 맡기는 일, 밥 퍼주는 일 때문에 스트레스를 받으면서 일하는 것이다.

일하는 엄마가 세상에서 가장 무서워하는 것이 또 있다. 바로 알림장이다. 나는 알림장에 정말 문제가 많다고 생각한다. 부모 가운데 한 사람이 문방구가 문 닫기 전에 집에 들어가서 애들 알림장을 확인하고 준비물을 챙겨서 가방에 넣어줘야 다음 날 학교 교육이 돌아간다는 것은 심각한 문제로 보인다. 그러면 엄마가 돌아가신 애들은 어떻게 해야 하나? 이혼하고 아이를 아빠 혼자 키우는 집은 또 어떻게 해야 하나?

나도 알림장 때문에 무서웠던 경험이 있다. 큰애가 초등학교 1학년 때 거의 집에 늦게 들어가다 보니, 한 번은 애가 메모지에 준비물을 적어 화장대 거울에 붙여놓은 적이 있다.

"엄마, 이거 꼭 준비해줘. 오늘은 나만 안 가지고 갔어. 내일도 안 가지고 가면 진짜 혼나."

그런데 그날은 색종이, 가위, 풀도 아니고 엄청 무서운 게 적혀 있었다.

"요구르트병 10개, 우유팩 3개, 빨대 6개."

도대체 그 시간에 그걸 어디 가서 구해야 하나 싶었다. 다른 집 쓰레기통을 다 뒤졌는데도 찾을 수 없었다. 결국 그날 밤에 요구르트병과 우유팩을 찾지 못하고, 다음 날 아침 7시에 딸을 깨워서 슈퍼마켓으로 끌고 갔다. 메모지에 적혀 있는 대로 요구르트 10개, 우유 3개를 샀다. 그러고는 그냥 버리기 아까워 아이와 둘이 앉아서 그걸 다 마셨다.

"학교 가서 깨끗하게 씻어. 선생님한테 혼나지 말고!" 하고는 애를 학교에 보내고 출근했다. 얼마나 속이 상하던지, 회사에서 눈물이 찔끔찔끔 나면서 '나 왜 이러고 살까? 이러고 살면 행복해지는 거 맞아?' 했다. 유산균이 잔치를 벌였는지 뱃속은 부글부글 끓고 머리는 스트레스로 터질 것 같았다.

그렇게 스트레스를 받은 날에는 스트레스 풀 상대가 딱 한 사람 있다. 바로 남편이다.

"오늘 좀 일찍 들어와."

퇴근해서 멀뚱하게 앉아 있는 남편을 속사포 쏘아대듯 심문한다.

"당신 회사 다니지? 나도 회사 다니지? 왜 나만 집안일하고 애보고 그래야 해? 당신은 애와 관련이 없어? 당신 아빠 아니야? 낳아놓기만 하면 다야?"

일단 전체적인 것으로 싸잡으면서 문제 상황을 아우르고 난 뒤이제 구체적인 2차 심문으로 들어간다.

"이번 주에 나 바쁘다고 도와달라고 했지? 출장도 있고 하니까 상요 알림장 당신한테 꼭 챙기라고 부탁했잖아. 왜 안 챙겼어?"

남편은 미적미적 약간 미안하다는 듯한 표정으로 대꾸한다.

"그게 아니고…."

"뭐가 만날 그게 아니고야? 도대체 왜 안 챙겼냐고?"

"일찍 오려고 했지. 근데 부장님이 갑자기 술 마시자고 해서…."

"부장이 중요해, 애가 중요해? 부장 술이 애 학교보다 중요해?"

목소리가 좀더 격해지자 자기도 할 말이 있다는 듯 좀 전과는 다른 목소리로 내뱉는다.

"당신이 남자 세계를 잘 몰라서 하는 말인데 애 챙긴다고 집에 오고 그러면 직장생활 못해."

한국 남자는 왜 이리도 다 똑같이 말할까? '내가 마시고 싶어 마시냐? 너도 사회생활 해봐라' 이거다. 우스운 건 그러면서 아내가 직장생활하면서 늦게까지 회식하고 술 마시고 오는 것은 이해하지 못한 다는 것이다. 그러면 남자들은 또 하는 말이 있다. 한국의 오랜 전통에 빛나는 한마디 '여자랑 남자랑 똑같으냐?' 하여간 여자로 한국이라는 땅에 살면서 속 뒤집어질 일이 인생 전반에 걸쳐 도처에 널려 있다. 이 건 마치 산맥을 이루는 고개 같은 것들이다.

오랫동안 남편과 이런 일로 싸우다 보면 가끔 한국 여성을 대변 하는 투쟁가로 돌변한다. 싸우는 대상은 내가 사랑에 미쳐서 결혼한 한 남자가 아니다. 한국 역사 500년을 상대로 나 혼자 싸우는 고독한 투쟁으로 느껴진다.

나는 이제는 모든 산맥을 다 넘어섰다고 느낀다. 포기했다는 것 이 아니라 나름대로 이런 문화 속에서 일하는 여자로서 어떻게 살아야 하는지 생각을 정리했다는 뜻이다. 남편의 도움 없이 일하면서 애들 키우고 울고불고 하는 내 삶을 한 줄로 정리했다.

'스트레스는 추억이다.'

매일매일 종류도 가지각색인 스트레스를 받으면서 "나 일해야 해, 말아야 해?"에 대한 대답을 스스로 하면서 내린 결론이다.

사람이 살면서 남는 건 추억뿐이라고 생각한다. 그때는 죽을 것 만 같았던 일도 지나고 나면 모두 추억이 된다. 추억은 인간이 인간다 울 수 있는 기본적인 감성을 제공한다. 부모님이 돌아가시면 왜 까무 러칠 만큼 눈물이 나는가? 왜 기절했다가 또 울고, 멍하니 하늘을 보다가 또다시 울고 할까? 바로 추억 때문이다. 모르는 사람 장례식에 조의금 내러 가면 눈물이 안 나온다. 그 집 식구들은 까무러치게 우는데 눈물이 한 방울도 안 나온다. 그 이유가 고인과 추억이 없기 때문이다. 작은 추억, 기억의 조각만 있어도 어떻게 울어보런만 아무런 추억이 없으면 연기자가 아니고는 눈물이 나오지 않는 것이 정상이다.

나와 우리 아이들은 추억이 많다. 그날 그 우유팩과 요구르트병, 빨대는 기차가 되어서 왔다. 집에 가보니 자고 있는 아이 머리맡에 기차가 줄지어 서 있었다. 우유팩은 기차 몸통이 되어 있고 요구르트병은 기차바퀴가 되어 있고, 빨대는 바퀴를 연결하고 있었다. 미술시간 전까지 우유팩을 씻어서 준비하느라 혼자 마음 졸였을 아이 모습을 떠올리니 눈물이 왈칵 쏟아졌다. 상요는 고등학생이 된 지금도 가끔 그때 이야기를 한다.

"엄마, 그날 생각나? 나 초등학교 1학년 때 엄마랑 나랑 슈퍼 앞에서 우유 세 개랑 요구르트 열 개 다 마신 거?"

왜 생각이 안 나겠는가? 그 생각만 하면 아직도 미안한 마음에 공연히 자는 아이 머리를 쓰다듬는다. 내가 죽고 나면 상요는 그날의 추억만 떠올려도 몇날 며칠을 울고도 남을 것이다. 어디선가 지나가다 우유팩만 봐도 눈물이 나겠지. 그렇게 나는 아이들의 추억 속에서 영원히 엄마로 살겠지.

나는 다시 태어나도, 혹시 한국이라는 땅에 또다시 태어나도 여자로 태어나서 엄마로 살고 싶다. 혹시 그때도 변하지 않는 문화 때문에 엄마 노릇, 아내 노릇, 직장생활의 이중 · 삼중고로 힘들어 스트레스로 죽을 것 같을지라도 여자로 태어날 것이다. 스트레스는 추억이니까….

엄마처럼 살지 않겠다고?
엄마만큼만 살아라

　　강연하고, 사람들 만나고, 강연 준비하고, 연구하고, 한때 학교까지 다니면서 그 모든 일을 하는 나를 보고 어떻게 그렇게 많은 일을 해내는지 궁금해 하는 분들이 많았다. 다행히 일을 즐기는 편이라 재미있게는 하지만 힘이 안 드는 것은 아니다. 일이 커지고 많아질수록 스트레스도 비례하여 늘게 마련이다. 그런데 일을 벌이고 나면 할 수 없다고 생각할 여지가 없다. 그냥 해야 한다.

　　이렇게 그냥 해야 한다고 생각하고 도망가지 않고 일을 즐기면서 하는 것은 어쩌면 내가 세상에서 가장 존경하는 사람에게서 보고 배운 것일 수 있다. 우리 엄마 '홍순희' 여사 말이다.

나는 우리 엄마를 정말 대단한 사람이라고 생각한다. 엄마는 청주에서 여상을 졸업한 뒤 외할아버지한테 대학에 보내달라고 했다가 된통 혼났다. 그 시절에 여자가 고등학교만 나와도 많이 배운 것인데 대학까지 가겠다고 했으니 할아버지가 가만두셨을 리 없다. "계집애가 무슨 대학이여? 네 오빠 공부나 시켜"라는 소리를 들으며 엄청 맞았다. 그날 이후 엄마는 혼자 힘으로라도 공부하겠다며 할아버지 몰래 보따리 싸서 서울로 튀었다.

'서울은 눈 깜짝할 사이에 코 베어가는 곳'이라는 말을 들은 엄마는 누가 진짜로 코를 베어갈까 무서워 보따리를 턱까지 끌어안고 역에서 나왔다. 어리바리하며 역 앞에 서 있는데, 큰 간판이 눈에 딱 들어왔다. 바로 '국제복장학원'이었다.

당시 우리나라 여성들의 전통적인 패션은 남편 러닝 위에 흰 저고리 그리고 '몸빼' 바지였다. 그런데 그 시절에 양재를 배웠으니 엄마에게 선구자적 기질이 있었던 것이다. 지금도 엄마는 당신이 가수 윤복희보다 먼저 미니스커트를 입었다고 주장하신다. 미국 잡지에서 보고 그대로 본떠서 해 입었다는 것이다. 엄마는 복장학원에서 양재를 배운 뒤 2년 만에 고향으로 돌아왔다. 빨간 원피스에다 꽃분홍색 샌들을 신고 양산을 들고 말이다. 당연히 내려가자마자 할아버지에게 뒤지게 맞고, 위에 있는 오빠 둘, 남동생 하나를 다 서울로 대학을 보내놓고 나서야 결혼했다. 거의 서른이 다 된 나이였다.

엄마 친구들은 스물한 살 때 결혼해서 애가 셋씩이나 있었으니 그 당시 여자 나이 서른이면 노처녀 정도가 아니었다. 그래도 예쁘지, 똑똑하지, 돈도 잘 벌지 하니까 동네 홀아비들이 우리 엄마한테 침을 흘리며 채가고 싶어 했다. 하지만 홍순희 여사가 그리 호락호락하게 자신을 넘길 사람은 아니었다. 그래서 스스로 '작업'에 나선 결과, 한 살 연하인 아버지와 결혼하셨다.

내 위로 언니가 태어나고 2년 뒤 내가 태어났다. 나보다 두 살 아래인 여동생을 낳고 연년생으로 또 여동생을 낳은 뒤 7년 동안 공들여서 아들을 막내로 낳으셨다. 늦게 결혼해서도 다섯 남매를 낳았으니 그것도 대단하지 않은가.

지금이야 '가장 존경하는 사람'이 누구냐고 하면 '우리 엄마!'라고 하지만, 어렸을 때는 이 세상에서 '가장 얄미운 여자'가 바로 엄마였다.

엄마에게 복수하기

소풍 가는 날이었는데, 아침에 일어나 보니 엄마가 김밥은 안 싸고 빨간 바지를 수북하게 쌓아놓고 다림질하느라 땀을 뻘뻘 흘리고 계셨다. 그때 언니가 6학년, 나 4학년, 여동생들이 2학년과 1학년으로 한 학교에 다니고 있었다. 우리 학교 소풍날과 동네 아줌마들이 단체로 빨간 바지 맞춰 입고 설악산 관광을 떠나는 날이 겹쳤던 것이다.

소풍 가는 날이면 김밥을 싸올 수 없는 아이들이 반에서 3분의 1 정도가 될 만큼 가난한 동네에 먹고살기도 힘든 시절이었다. 김밥은 하얀 쌀밥으로 싸야지 보리쌀이 조금이라도 섞이면 다 흐트러지는데, 보리밥 먹기도 힘든 판국에 김밥은 그야말로 꿈같은 메뉴였다. 그래서 소풍 며칠 전이면 담임선생님이 김밥을 싸오지 못하는 아이들을 위해 두 명 몫의 김밥을 싸올 아이들을 선발했다. 그나마 우리 집은 엄마가 양장점을 하시니 그런대로 쌀밥을 좀 먹고 살았기에 나는 항상 자진해 손을 번쩍 들어 하나도 아니고 여섯 명 이상의 몫을 싸가겠다고 했다. 그 소풍 때도 그랬다. 그런데 엄마가 김밥은 안 싸고 다림질하느라 정신이 없으신 거였다.

"엄마, 우리 소풍 가는데 김밥 안 싸?"

"어머, 어떡하니. 내가 또 까먹었네, 까먹었어."

그러시며 부엌으로 가더니 달걀 프라이 하나, 단무지 하나 얹은 도시락을 챙겨주셨다. 당신도 뭔가 부족하다 싶었는지, 구멍가게에서 과자와 사이다를 몇 개 사와서 언니 배낭부터 내 배낭, 여동생들 배낭에 쑤셔 넣으셨다. 아니 김밥 없이 어떻게 소풍을 떠나라는 것인가. 우리는 도무지 발길을 뗄 수 없어 엄마를 애처로운 눈길로 쳐다보았다.

"엄마, 이거 들고 어떻게 소풍 가?"

"굶는 애들도 있어. 어서 가."

그렇게 등이 떠밀려 집 밖으로 발을 내딛긴 했지만 심란한 심정
은 이루 말할 수 없었다. '아이, 어떻게 해. 친구들이 나 때문에 떼로
굶게 생겼네. 김밥 싸가겠다고 손이나 들지 말걸. 선생님이랑 친구들
한테 무슨 개망신이야' 하는 생각에 잠겨 한참 가다보니 1학년, 2학년
여동생이 보이지 않았다. 화들짝 놀라 언니와 되돌아가면서 찾아보니
어린 동생들이 양장점 바닥에 개구리처럼 딱 붙어갖고 "엄마, 김밥 싸
주세요"라며 계속 떼쓰고 있는 게 아닌가.

"큰 년들이 뭐하는 거야. 작은 년들 빨리 끌고 가. 정신없어 죽겠
어. 엄마 이 바지 얼른 다려서 아줌마들 설악산 보내야 해."

큰 년들이 작은 년들을 바닥에서 뜯어내 학교 앞까지 왔을 때 언
니가 우리를 부르더니 이렇게 말했다.

"너희, 언니 말 잘 들어. 도착해서 보물찾기 시작하면 다 산으로
올라와. 딴 애들 김밥 먹는데 옆에서 칭얼대지 말고."

옛날에는 소풍을 10리, 20리씩 걸어가서 도착하면 밥 먹기 전에
보물찾기를 했다. 보물찾기를 시작하자 언니가 시킨 대로 산으로 올라
갔다. 동생들도 먼저 와 있었다. "언니, 우리 이제 밥 먹어?"라며 도시
락을 꺼내니까 언니가 "먹지 마. 다 내놔봐" 했다. 언니 도시락도, 내
것도, 동생들 것도 모두 네 등분하더니 "다 먹고 가면 엄마가 좋아하잖
아. 엄마 염장 지르게 4분의 1만 먹고 가자" 하는 게 아닌가. 어린 동

생들도 더 먹으면 때린다고 하니 언니가 시키는 대로 따랐다. 언니의 계획, 아니 우리의 계획대로 그날 저녁 엄마는 엄청 우셨다고 한다.

엄마에게 또 복수하기

내 바로 아래 동생 은희가 옆집 애랑 싸움이 붙었는데 둘이서 30분 동안 "야, 이년아. 야, 이년아" 하고 머리카락이 한 움큼 빠질 만큼 심하게 싸웠다. 그때 드디어 옆집 아줌마가 튀어나오더니 내 동생 등짝을 휘어잡으면서 "아까부터 네 년이 우리 딸 먼저 건드리는 거 다 봤어"라며 은희를 막 두들겨 패기 시작했다. 언니도 그 아줌마를 말릴 수 없어서 나한테 엄마를 불러오라고 시켰다. 양장점 앞 신작로에서 벌어진 일인데, 내가 엄마를 부르려고 양장점 쪽으로 몸을 돌리자 엄마가 가게로 후다닥 들어가시는 게 아닌가. 엄마는 은희가 맞고 있는 장면을 다 보다가 내가 엄마를 부르러 가려는 것 같으니까 들어가 버리신 거다.

그때 양장점 안에 손님이 세 분 계셨는데 두 분은 앉아 계시고 한 분은 결정적으로 옷을 맞추고 있는 순간이었다. 양장점에서는 줄자로 재면 얘기가 끝나는 상황인데, 마침 그때 엄마가 그 손님 등을 줄자로 재면서 "아유~ 등 넓으시네" 하려는 찰나였다.

내가 "엄마! 엄마!"를 외치면서 가게로 들어가니 엄마는 웃는 얼굴로 손님 어깨에 줄자를 대면서 입모양으로 '빨리 나가'라고 하셨다.

나는 찍 소리 못하고 그냥 나와야 했다.

내가 그냥 나오는 것을 본 언니는 길길이 날뛰는 아줌마한테서 은희를 확 잡아 끌어내곤 산으로 숨자고 했다.

"에이, 내가 우리 엄마는 계모라고 했지? 너희 다 나 따라와!"

우리 엄마 같은 사람은 골탕을 먹어봐야 한다는 것이었다. 우리는 그날 밤 12시까지 칠흑같이 깜깜한 산에 숨어 있었다. 어린 동생 둘이 내려가겠다고 보채는 걸 말리면서 12시까지 버티다 내려오니까 양장점에 불이 환하게 켜져 있었다. 딸 넷이 동시에 없어졌으니 얼마나 찾았을지는 불 보듯 뻔한 일이었다. 우리가 양장점에 들어가자마자 엄마는 대나무 곱자로 네 딸을 돌아가며 피가 날 정도로 때리셨다. 그러고 나서 우리가 벌벌 떨며 방에 기어서 들어가니까 엄마가 문을 확 열고는 연고를 던져주셨는데, 그거 바르고 밤새 따가워 잠을 설쳤다.

나는 원래 형제들 중에 잠이 없었는데, 그날도 새벽에 눈을 뜨니까 어디선가 덜그럭덜그럭 소리가 났다. 엄마가 계신가 싶어서 잘못했다고 한 번 더 빌려고 하다가 낯선 여자를 보고 기절하고 말았다. 5분쯤 뒤 엄마가 물을 뿌려서 정신을 차리고 보니, 내가 보고 기절했던 여자가 바로 엄마였다. 엄마가 이불을 뒤집어쓰고 밤새도록 울어서 눈 따로, 입 따로, 코 따로 코끼리처럼 부었던 것이다. 밤새도록 수건으로 입을 틀어막고 "내가 미쳤지. 미친년이지. 양장점은 뭐 하러 해 가지고…"라며 우셨던 것이다. 엄마 성격에 당장 쫓아가서 그 아줌마 머리를 확 끄집어 잡고 흔들어줘야 직성이 풀리는데, 그러지 못한 것이 분하고 억울하셨던 거다.

중 3때까지 증평에 양장점은 우리 집뿐이었다. 동생 등짝을 때렸던 그 여자도 바로 엄마 손님이고, 싸움을 구경하던 사람들도 다 엄마 손님인데 어떻게 엄마 하고 싶은 대로 할 수 있었겠는가?

우리 어렸을 때는 다니다 보면 인사하느라 바빴다. "교장선생님 사모님이시다. 인사드려라~." "저기 사단장님 사모님이시다. 인사드려라~." "여기 읍장님 사모님이시다. 인사해라~." 오죽하면 우리가 "고개를 들 것도 없이 그냥 내내 수그리고 다니자"고 했을 정도였다.

엄마만큼 사는 것도
어렵더라

자랄 때는 이 세상에서 가장 얄미운 사람이 바로 엄마였다. 그런데 자식 낳아서 키우면서 사회생활을 하다 보니 다섯씩 낳으면서 그렇게 열심히 사는 것이 쉽지 않았겠구나 싶었다. 그래서 내가 가장 존경하는 사람이 엄마라는 것이다.

세탁기에, 식기세척기에, 청소로봇이 있는 시대에 산다고 남자들은 '여자들 살기 편해졌어'라고 하지만 실상 여자들 생활은 나아진 것이 없다. 나는 우리 세대, 엄마 세대, 할머니 세대가 겪었던 아픔을 우리 딸들에게 물려주지 않는 것이 또 다른 의무라고 생각한다. 열심히 노력해서 딸들이 편하게 살 수 있는 기반을 닦는 것이 바로 내가 할 일이라고 생각하며 하루하루를 보낸다. 내가 이런 목소리를 내는 것이 얼마나 많은 영향을 미칠지는 모르지만 내 이야기를 듣고 조금씩 바뀐 사람들이 다시 또 다른 사람들을 조금씩 바꿔간다면 우리 딸들은 지금보다 더 나은 세상에서 살 수 있을 것이다.

아내의 적은 남편이 아니라
500년 역사다

피아노 학원을 할 때까지는 말할 것도 없고 강사 초창기에도 남편은 내가 하는 일을 '안 말리자 주의'였지 '도와주자 주의'가 아니었다. 강사 일을 시작하고 잘한다는 소문이 나 여기저기서 강의 의뢰가 들어오기 시작할 때였다. 그날도 강의 준비 등으로 일하다 새벽에 집에 들어와 남편이 깰까봐 안방문을 조심스레 열었다. 그런데 잠에서 깬 남편이 말했다.

"여보! 나 물 좀."

순간 피곤함보다 더한 짜증이 났다. 늦게까지 일하고 들어온 아내한테 "수고했어, 힘들었지?"라고는 못할 망정 물 좀 달라고 하다니.

'이야, 잘난 김미경이 돈도 안 보고 배경도 안 보고 마냥 멋져 보여 결혼한 그 남자가 지금 러닝에 팬티만 입고 물 달라는 이 남자야?'

야심한 시간에 싸울 수도 없고 부글부글 끓어오르는 가슴을 달래야 했다. 그러면서도 이거 이대로는 안 되겠다 싶었다. 오래 사용해서 반품도 안 될 테니 수리해서라도 괜찮은 남편으로 리모델링해야겠다고 마음먹었다. 물론 부품 교체비가 엄청 들겠다는 각오까지 하며 말이다.

그리고 그때부터 노골적으로 남편 바꾸기에 들어갔다. 우리 남편에게는 좀 직접적인 방법을 썼다. 내가 원하는 것을 정확히 말로 표현하고 외조 좀 해달라고 대놓고 부탁했다. 부탁이 효과가 없을 때는 나도 남편이 바라는 것을 해주지 않았다. 일종의 거래를 한 것이다. 남자의 성향에 따라 다르겠지만 남편은 은유법보다 직설법이 먹혔다. 또 머리는 나쁘지 않아 우리 가족에게 좋은 것이 무엇인지 잘 판단했다.

다행스럽게도 남편은 사고방식 자체가 문제였던 게 아니라 표현하는 방법을 모르거나 여자를 잘 모르는 탓에 서운하게 하는 타입이었기에 리모델링이 비교적 쉬웠고 빨리 되었다. 속을 끓이면서도 "남자들은 다 그래!" 이러면서 포기했다면 나는 남편에게서 멋진 파트너십을 못 느꼈을 것이다.

남편의 싹수, 가위질이
필요할 수도 있다

결혼은 사랑하는 두 사람이 함께 살기 위해서 한다. 혼자 사는 것보다 행복할 거 같아서, 혼자 하는 것보다 잘할 거 같아서 한다. 각자의 걸음이지만 함께 가는 삶, 바로 '2인 3각'이다. 그러니 두 사람 가운데 한 사람이라도 다른 사람을 희생시켜서는 안 된다. 남편을 돈 벌어다주는 사람으로 여겨서도 안 되고, 아내를 편안한 생활을 조성해주는 가사도우미로 여겨서도 안 된다. 전업맘이라고 해서 남편이 벌어다주는 돈에 얹혀사는 기분으로 살아서는 안 된다. 집에서 먹고 노는 것이 아니지 않은가. 역할분담을 하는 것일 뿐이다.

남편이 아내를 한 인격체로 인정하지 않고 자신의 갈비뼈쯤으로 여긴다면 결혼 초창기에 바로잡아야 한다. 그러기 위해 남편과 내 관계가 어떤 모양으로 맺어져 있는지 생각해봐야 한다. 돈과 가사노동이라는 거래관계로 이루어져 있다면 보통 문제가 아니다. 누군가의 말처럼 합법적인 섹스가 가능한 관계 그 이상도 이하도 아니라면 그것도 문제다.

서로 꿈을 이루기 위해 편안하게 준비하고, 격려하고, 쉴 수 있고, 새로운 에너지를 충전하는 관계가 되어야 한다. 결혼생활은 남자도 여자도 아닌 두 인간이 각자의 한 손을 상대에게 내어주어 꼭 잡고 함께 걸어가는 것이다. 그러니 남자, 여자라기보다는 인간이 있을 뿐이다. 반드시 아내만 해야 하는 일은 출산밖에 없고, 남편만 해야 하는 일은 예비군 훈련이나 민방위 훈련밖에 없다. 시대는 분명 바뀌었고, 많은 사람이 의도했든 하지 않았든 바뀐 시대에 적응해 살아가고 있다. 그런데도 향수를 부르짖으며 과거회귀를 꿈꾸는 사람들이 특히 남자들 가운데 많다. 내 남자가 그런 부류라면 결혼 초에 지난 시대에 대한 향수를 싹둑 자르고 대신 함께하는 미래의 씨앗을 뿌려야 한다.

싸움이 아니라
재교육이 필요하다

한 정수기 회사에서 강의할 때였다. 강의가 끝난 뒤 한 아주머니가 찾아왔다.

"원장님, 저는 정말 이 일을 하고 싶은데 남편이 못하게 해요. 자기가 돈도 많이 못 벌어서 집안 사정도 어려운데 그러네요. 원장님이 우리 집에 와서 남편 좀 설득해주세요."

나로서는 당혹스러웠지만 오죽하면 그런 말을 할까 싶어 안타까웠다. 그분 말대로 내가 남편을 설득할 수야 없었지만 시간을 따로 내서 그분과 얘기를 나누었다. 그러면서 내가 해준 말의 요지는 "부부싸움을 해서라도 일하세요. 지금 주저앉으면 영원히 못해요"라는 것이었다. 그리고 그보다 더 강조한 것은 그 싸움의 대상이 남편이 아니라 우리나라 500년 역사라는 사실이었다.

사회진출에 대해 차근차근 설명하며 이해시키려고 노력했는데도 남편이 이해하지 못한다면 싸워서라도 기회를 얻어야 한다. 그렇지만 명심할 것이 있다. 싸워야 할 대상은 남편이 아니라 그를 그렇게 생각하게끔 한 직·간접 교육이다. 그러한 교육은 한국의 500년, 아니 그보다 더 긴 역사에 뿌리를 두고 있다. 그 사실을 간과하고 싸움 대상을 남편으로 설정하면 전략도 잘못 세우게 되고 자신이 먼저 지칠 확률이 높다. 500년 넘는 세월 동안 유전되어온, 그리고 그 역사에 바탕을 둔 현실의 교육은 생각보다 뿌리가 깊고 강한 힘으로 남편을 포함한 이 나라의 남자들을 지배하고 있기 때문이다.

개인차는 있지만 많은 남자가 권위적이고 남녀차별적인 교육을 직·간접으로 받으며 자라고 살아왔다. 그렇게 보고 듣고 배우며 자랐기 때문에 스스로 변하려고 해도 시간이 걸리고 어렵다는 사실을 잊지 말고 접근해야 지치지 않고 싸울 수 있다. 즉 남편이 여자의 사회활동이나 꿈을 이해하지 못하고 지원은커녕 방해꾼 노릇을 하는 것은 개인의 잘못이 아니라 그렇게 교육받은 탓이라는 말이다. 이러한 사실을 인정하고 남편과 싸워야 한다.

나름대로 여자를 이해하고 지원한다고 생각하는 우리 남편도 예외는 아니다. 내가 결혼 초기에 제사 등의 시댁 일에 선별적으로 참석하겠다고 하자 남편은 이렇게 말했다.

"당신은 우리나라의 미풍양속을 해치는 여자야."

세상에! 며느리로서 시댁 일에 무조건 적극적으로 매달리는 것이 미풍양속이라니! 남편이 그런 생각을 하게 된 것은 그 개인의 선택이 아니었다. 그렇게 생각하도록 배우고 보며 자랐기 때문이다.

그래서 나는 그런 주제로 남편과 싸우지 않는다. 남편 역시 500년이 훨씬 넘는 역사의 희생자다. 선택할 수 없었던 출생처럼 태어나면서부터 신체기관과 함께 가지고 태어난 생각이 그를 그렇게 만든 것이다. 나는 남편이 아니라 남편의 몸속에 유전된 교육의 결과물을 대상으로 싸웠고, 남편이 500년 역사를 깨뜨리고 나올 수 있게 유도했다.

자신을 이해하지 못한다고 해서 남편을 이기적인 사람이라고 생각하며 싸우면 그 싸움은 절대 끝이 안 난다. 앞으로 100년쯤은 지나야 남편과 아내, 남자와 여자 사이에 일어나는 이러한 싸움이 끝날 것이다. 그러니 그때까지는 남편을 이해하면서 싸워야 한다. 기술적으로 싸우면서 남편을 내 편으로 만들려면 우선 남편을 달래야 한다.

"당신이 돈을 못 벌어서 내가 활동하려는 게 아니야. 하지만 내가 활동하면 우리가 훨씬 여유로워지는 건 당신도 알잖아. 당신 퇴직 후를 생각해봐. 내가 적은 돈이라도 벌어왔고 벌고 있다면, 당신이 심리적 여유를 가지고 새로운 일을 모색할 수도 있잖아."

말 한 마디로 천 냥 빚을 갚는다고 했다. 강하게 들이대지 말고 살살 달래면서 남편의 마음을 얻어내는 것이 현명한 아내의 화법이다.

취업을 용인받긴 했지만 남편이 해줘야 할 지원을 하지 않으면 직장생활을 잘할 수도, 오래할 수도 없다. 돈을 벌어오는 것은 찬성하되 집안일도 전처럼 아내가 다 하고 잘하기를 바라는 남편들이 의외로 많다. 이 역시 우리 역사의 잘못된 유산 때문이다.

남편에게 당신의 꿈을 지원받아라

아내가 꿈을 이루기 위해선 남편의 외조가 절대적이다. 함께 꿈을 이뤄갈 수 있는 관계로 남편을 리모델링할 필요가 있다. 당신의 꿈을 이루는 데 남편의 지원을 받는 방법에는 몇 가지가 있다.

첫째, 일하는 현장을 남편에게 보여줘야 한다

10년 전쯤이었을 것이다. 그날은 대전에서 강의가 있어 늦어도 6시에는 일어나야 했다. 그런데 일어나보니 7시였다. 순간 돌아버릴 뻔했다. 강의에는 절대 늦으면 안 된다. 한두 사람과의 미팅이라면 어쩔 수 없는 이유로 10~20분 정도 늦을 경우 양해를 구할 수도 있지만 100명에서 많게는 수백 명 정도 되는 사람을 기다리게 할 수는 없었다. 그 시간을 계산하면 그 회사에 엄청난 손해를 끼치게 되는 셈이기 때문이다.

나는 세수도 안 하고 머리도 못 빗고 옷만 갈아입고 미친 여자처럼 뛰어나갔다. 그런데 계단을 뛰어 내려가다 굴러 떨어지는 바람에 구두가 벗겨졌다. 솔직히 벗겨진 것이 구두만은 아니었지만 무릎이 아픈 것도 발목이 아픈 것도 신경 쓸 겨를이 없었다. 나는 벗겨진 신발을 손에 쥐고 차가 있는 곳으로 뛰었다.

그 모습을 차를 빼러 먼저 나가 있던 남편이 보았다. 눈에 눈물까지 글썽이며 미친 여자처럼 운전석에 앉으려는 나에게 남편이 옆으로 가라고 말했다. 그리고 자기 회사에 전화하더니 급한 일이 생겨서 오후에나 출근할 수 있다고 했다. 남편은 잠옷 위에 카디건만 걸치고 나를 대전까지 데려다주고, 강의하는 동안 기다렸다가 데리고 올라왔다.

"당신 맨발로 뛰는 모습을 보는데 내가 눈물이 나더라. 이 여자, 이렇게 힘들게 일하고 있었나 싶은 게 마음이 너무 아프더라."

올라오면서 앞만 바라본 채 그가 한 말이었다.

강의 때문에 지방으로 여기저기 많이 다니는 내게 "일하면서도 전국 좋은 곳은 다 다니고 좋겠다"라던 남편, 특히 제주도라고 하면 "부럽다, 부러워"라고까지 하던 남편이었다. "그렇게 치열하게 하는 일인 줄 몰랐어. 늘 씩씩하게 굴어서"라고 한 뒤부터 훨씬 더 많이 나를 지원해주려고 노력한 것 같다.

일하는 모습을 보여주는 것은 그만큼 중요하다. 직접 현장에서 보여줄 수는 없더라도 그 분위기를 느끼게끔, 어떻게 일하고 어떻게 극복해나가는지 보여주면 된다. 보여주지 않으면 모른다. 물론 이것은 아내도 마찬가지다. 남편이 얼마나 힘들게 일해서 돈을 벌어오는지 알아야 한다. 요즘에는 기업에서 가족을 초대하는 행사도 많이 하니까 그런 자리에 참석해 내 남편, 내 아내가 일하는 현장을 직접 봄으로써 내 남편을, 내 아내를 이해하는 데 도움을 받아야 한다.

둘째, 회사에서의 일을 구체적으로 말하고 자문도 구해야 한다

첫째 방법과 이어지는 내용인데 회사에서 무슨 일을 어떻게 하는지 자주 얘기하고 가끔 구체적인 조언도 구해야 한다. 무조건 힘들다고 말해서는 남편의 이해를 얻기 어렵고 오히려 남편을 짜증나게 할 수 있다. 구체적인 상황을 얘기함으로써 남편의 이해도 얻고 남편에게 내 일에 참여하는 기분을 느끼게 하면 점점 나를 지원해주는 남편을 기대해볼 수 있다.

셋째, 일을 함으로써 생기는 보상을 남편과 함께 누려야 한다

힘들거나 어려운 점만 공유하면 사실 지치고 재미가 없다. 회사에서 일을 잘해서 받게 되는 어떤 보상을 남편이 함께 누리도록 배려하면 남편도 함께 공로를 인정받았다는 느낌이 들면서 더 적극적으로 아내를 지원해줄 수 있다. 예를 들어 시상식에 함께 참석해서 맛있는 식사도 하고 자랑스러움도 느끼게 한다든지, 보상으로 받은 돈이나 물

품을 남편에게 줘서 아내가 대단하다는 생각을 할 수 있도록 해주면 남편이 든든한 지원자가 될 것이다.

일의 성취감을 회사 동료와 함께 누리고 기뻐하는 것도 중요하지만 남편이나 가족이 함께 느끼는 것도 아주 중요하다는 사실을 잊어서는 안 된다.

가계부가 아니라
CEO 다이어리를 써라

21세기에 남녀차별 얘기를 하면 촌스럽다고 한다지만 까놓고 말하면 세상에는 아직 남녀차별이 존재한다. 특히 가정 안을 들여다보면 더욱 그렇다. 집안일은 여전히 여자들 몫인 집이 많다. 남자들은 가끔 생색내면서 '해주는 것'이 집안일이지만 여자들은 안 하면 직무유기처럼 욕을 얻어먹는 것이 집안일이다.

맞벌이 부부라면 상황이 다를 것 같고 달라야 하지만 반드시 그렇지만도 않다. 부부가 같이 직장생활을 할 경우에도 여전히 여성의 가사노동 시간이 남성의 그것보다 6.5배 많은 것으로 조사되었다.

그러니 맞벌이 아내의 경우 그야말로 슈퍼우먼이 강요되는 상황이다. 그렇지만 슈퍼우먼이 될 수 없는 현실에서 맞벌이 여성은 살림도 못하면서 밖에서 설치고 다니는 여자, 아이들을 제대로 먹이지도 입히지도 못하는 비정한 엄마, 남편 드레스셔츠도 다려주지 않는 데데한 아내가 된다.

그런데 남들의 그런 평가 때문에 내 꿈과 인생을 저당잡힐 것까지는 없다. 이러쿵저러쿵 아무리 떠들어대도 결국 그들이 내 인생을 대신 살아주는 것은 아니다. 눈치 안 보고 당당하게 내 행복을 만들어가기 위해서는 우선 어머니 세대들이 갖고 있거나 요구받았던 아내의 역할에 집착하지 말아야 한다.

나도 전업맘인 적도 있었고, 일하면서도 살림에 강박관념을 갖고 살았다. 그리고 큰아이가 네다섯 살 때까지는 살림에 목숨을 건 듯 집착한 적이 있었다.

양장점집 딸이라 손재주가 좋았는지 이것저것 직접 만들어 집을 꾸미고 쓸고 닦고 잠시도 가만히 있지 않았다. 행주도 각 맞춰서 개고 티셔츠도 각 맞춰서 갰다. 예쁜 그릇도 엄청나게 사들였다. 그런데 어느 날, 살림에 몰두하는 것은 내가 투자한 시간이나 노력에 비해 생산성이 없다는 것을 깨달았다. 커튼을 손수 예쁘게 만들어서 달았을 때 그 엄청난 시간과 노력을 투자한 것에 비해 커튼에서 기쁨이나 만족감을 즐기는 시간은 너무 짧았다. 또한 그것을 즐기는 대상도 가족이나 이웃 몇몇에 한정될 뿐이었다. 결국 내가 들인 시간에 비해 터무니없이 생산성이 낮고 만족도도 낮다는 사실을 알게 된 것이다.

그것을 깨달았을 때가 막 강사 일을 본격적으로 시작해서 바빠질 무렵이었다. 어차피 살림에서 정을 떼어야 할 때였다. 한꺼번에 손을 놓을 수는 없으므로 집안일을 하나씩 떼어내기 시작했다. 제일 먼저 집이 주기적으로 새롭게 바뀌어야 하고 언제나 번쩍번쩍 윤이 나야 한다는 강박관념에서 벗어나려고 노력했다.

나는 싱크대 위에 물건이 있는 꼴을 보지 못했다. 수저통, 그릇 등 주방일을 하다보면 자연스레 싱크대 위에 무언가 올라오게 마련인데도 편안함을 포기하고 보기 좋은 것을 택하는 쪽이었다. 그러나 시간이 지나자 저절로 필요한 것들이 다 싱크대 위로 올라왔다. 시간이 없으니 미적인 것을 챙길 겨를이 없었다. 살기 편안한 쪽으로 자연스럽게 바뀌기 시작했다.

그렇다고 살림을 덮어두거나 포기하라는 말이 아니다. 가족이 먹고사는 데 불편하지 않고, 집에 들어오면 그래도 마음 편히 휴식을 취할 수 있는 수준은 되어야 한다. 집이 지나치게 지저분하거나 먹는 것이 형편없다면 그게 스트레스가 되고, 그런 스트레스는 역시 살림에 집착하는 것만큼 사람을 비생산적으로 만든다. 게다가 아내는 살림에 대한 책임감 때문에 더욱 심하게 스트레스를 받을 것이다.

스스로 피곤하게 만드는
살림 콤플렉스를 극복하라

가장 먼저 해야 할 것은 살림 콤플렉스에서 벗어나는 일이다. 이건 전업맘도 마찬가지다. 여자라면 누구나 살림을 잘해야 한다는 압박감을 가지고 있다. 그런데 완벽한 살림꾼이라는 말은 어떤 면에서 보면 남는 것 없는 실속 없는 꼬리표에 지나지 않는다. 사람이 살면 해 먹고 입고 치우는 일이 끊임없이 벌어지게 마련이다. 그런데 그게 왜 아내가 전적으로 담당해야 하는 일이란 말인가.

어떤 가정이든 아내가 살림을 너무 엉망으로 해서 가족의 생활에 문제가 생기는 경우는 극히 드물다. 우선 청소를 보자. 집은 사람이 살 수 있는 만큼만 깨끗하면 된다. 아니 오히려 적당히 어질러져 있어야 한다. 지나치게 깨끗하게 꾸며놓아도 편치 않고 스트레스가 될 수 있다. 그 상태를 유지하기 위해 더 많은 공을 들여야 하고, 다른 가족도 괴롭히게 되니 스트레스가 아닐 수 없다. 티끌 하나 없이 깨끗하면 그것은 집이 아니라 모델하우스이거나 화보용 세트다.

가수 이적이 방송에 나와서 이런 이야기를 했다. 자기네 집이 친구네 집에 비해 너무 지저분해서 엄마한테(그의 엄마는 유명한 여성학자 박혜란 선생님이시다) 집안 좀 치우며 살자고 했다 한다. 그런데 그 어머니 왈 "먼지에게 시간을 줘라." 먼지는 굴러다니다 스스로 뭉치게 마련이고 자동 청소가 된다는 말씀이었다.

　그런데 말이 쉽지 주부들이 살림에 집중하지 않는 것이 쉬운 일인가. 나 역시도 살림 콤플렉스에서 벗어나는 데 시간이 꽤 걸렸고, 어려움도 있었다. 살림 콤플렉스에서 벗어나려면 일단 내가 살림하지 않으면 우리 집이 엉망이 될 것이라는 착각에서 벗어나야 한다.

위임과 양도로
살림을 효율적으로 경영하라

　　　　　　　　　　　　　　모든 것을 다 직접 하려고 할 필요는 없다. 가족이 할 수 있는 일이라면 각자 담당을 정해서 넘기라는 것이다. 사정이 된다면 전문가에게 위임하는 것도 좋은 방법이다. 나는 일주일에 서너 번 정도는 가사도우미에게 집안일을 맡긴다.

　살림 시스템 중 여전히 내게 남아 있는 것은 일주일에 한 번 식사를 준비하는 일이다. 가족에게 내가 직접 준비하는 음식을 일주일에 한 번은 먹게 해주고 싶기 때문이다.

　살림 때문에 스트레스 받고 자신이나 가족을 괴롭힐 것이 아니라 살림을 시스템화해 다른 이의 도움을 받아서 해결하면, 지금 당장은 돈이 들더라도 나중에는 그 편이 정서적인 측면은 물론 경제적인 측면에서도 훨씬 낫다.

　회사를 보더라도 CEO가 자신이 하지 않아도 되는 일까지 하면 오히려 그 회사는 망해가게 된다. 가정도 마찬가지다. 육아든 집안일이든 일정 부분 맡아줄 사람의 도움을 받으면 되는데, 눈앞의 돈이나 사람들의 이목이 걱정스러워 그 모든 것을 자신이 끌고 가다가 가정이라는 울타리 자체가 흔들리는 경우도 생긴다.

사람에게는 능력이나 체력의 한계가 있다. 일은 눈에 보이는데 혼자 다 할 수 없으니 짜증이 나고, 결국 다른 가족에게 짜증내며 강요할 수밖에 없다. "넌 이걸 하고, 당신은 이거 해." 그러다보면 남편도 화가 나서 "그렇게 힘들면, 그래서 살림도 제대로 할 수 없으면 회사 그만둬"라고 한다. 살림이 시스템화되지 않은 집에서 아내는 아내대로 일이 많아 짜증내고, 가족은 가족대로 만족스럽지 않아 가족 모두 불행해질 수 있다.

그런데 살아보니 그럴 필요가 없다. 집안일을 시스템화해서 50% 정도는 다른 사람에게 맡기면 우리 가정도 좋아지고, 더불어 그 일을 맡은 사람의 가정도 좋아진다. 우리 집에서 번 돈으로 그 가족이 요긴하게 쓰기 때문이다.

직장에 다니던 여성들이 직장을 그만두는 가장 큰 이유는 바로 육아 때문이다. 아이를 어느 정도 키워놓고 다시 일을 하리라 생각하지만 그 또한 쉽지 않다. 아이들은 나이별로 보호자의 손길이 필요하기 때문이다. 게다가 일을 그만둔 뒤 공백기는 만만한 게 아니어서 그만둘 때 마음처럼 쉽게 돌아가기도 어렵다.

가까이 살면서 아이를 봐주실 부모님이나 친척이 있으면 행운이다. 그렇다고 베이비시터에게나 놀이방에 맡기자니 배보다 배꼽이 크고, 애도 떨어지기 싫어해서 포기하는 경우가 허다하다. 그런데 여기서 '배보다 배꼽이 큰 이유,' 즉 돈에 대해서는 반드시 짚고 넘어갈 필요가 있다. 많은 여성이 이렇게 말한다.

"애 그 고생시키고 내 마음 아파가면서 이거 벌려고 다니다니, 내가 잘하는 짓인지 모르겠어."

"내가 번 돈으로 애 놀이방에 주고, 차비며 점심값이며 내고 나면 남는 게 없어. 그런데도 다닐 필요가 있을까?"

이런 생각이 드는 순간 결정을 잘해야 한다. 좀더 강해지고 좀더 멀리 봐야 한다는 말이다. 그렇게 배보다 배꼽이 커지는 상황이라도 당연히 다닐 필요가 있다. 그 상황에서 포기하는 바람에 많은 여성이 발목을 잡혔고, 개인적으로나 사회적으로 인력의 낭비를 가져왔다.

내가 버는 돈과 가사나 육아에 드는 돈이 '쌤쌤(=), 똔똔'이더라도 돈을 들여서 가사나 육아를 다른 사람에게 맡기고 회사를 다녀야 하는 이유는, 당장은 버는 게 없는 것처럼 보이지만 시간이 지나면 달라지기 때문이다. 경력이라는 보이지 않는 가치를 얻게 되므로 육아나 가사 때문에 공백기를 가진 뒤 벌 수 있는 돈에 비하면 나중에 훨씬 많은 돈을 벌 수 있다. 다시 말해 지금은 내가 100만 원 벌어서 100만 원이 다 아이한테 들어갈지 모르지만, 그동안 나는 200만 원, 300만 원을 벌 능력을 갖추게 된다. 그렇게 되면 아이 양육비 때문에 포기했던 100만 원은 그냥 100만 원이 아니라 200만 원, 300만 원인 셈이다.

집안일은 물론 중요하다. 집이 가족 모두의 충전소이기 때문이다. 하지만 그 충전소가 충전소답기 위해 한 사람에게만 희생을 강요해서는 안 된다. 필요하면 돈을 써서 아내를 대신할 인력을 사용하고, 이때 쓰이는 돈을 아깝다고 생각하지 말아야 한다. 그 돈은 멀지 않은 미래에 자신과 가족의 만족도라는 형태와 직접적인 돈의 형태로 다시 돌아올 거라고 믿고, 다른 가정의 시스템도 도와주는 일석이조의 효과가 있다는 생각을 끊임없이 해야 한다.

지금 나는 살림 콤플렉스를 극복하고 사람이 살 수 있을 만큼만 해놓고 산다. 그렇다고 부끄럽게 생각하거나 후회하지는 않는다. 그건 잘하는 분이 담당하면 되고 나는 내가 잘하는 일을 하면 되는 것이다. 살림까지 완벽하게 하겠다는 고집을 버리지 않고 살림에도 시간과 에너지를 투자했다면 현재의 '김미경'은 없었을 것이다.

우리도 '아내'가
필요해요

어느 전업주부의 외침

— 최혜경

이제 당신의 아내와 이야기하세요.

당신의 아내가 종일 지치도록 일한 당신의 귓전에 앉아

시시콜콜한 동네 사람들 이야기로 귓전을 어지럽히는 것은

당신의 아내에게 지금 친구가 필요하다는 신호입니다.

무심하다 타박하는 아내에게 어쩌다 낮 시간 짬을 내 전화하면

뚜-뚜- 통화 중 신호음만 한 시간째 계속되는 것은

당신의 아내에게서 쏟아져 나와야 할

이야기들이 이미 너무 많이 쌓인 까닭입니다.

몰라도 된다, 말하면 아냐, 당신의 핀잔을 감수하고도

어느 날 당신의 아내가 조심스레 회사 일을 물어오는 것은

당신이 하는 일에 잔소리나 간섭을 늘어놓으려는 것이 아니라

무거운 당신의 짐을 함께 지고 싶어 하는 아내의 갸륵한 마음입니다.

그리도 말 잘하고 똑똑하던 나의 그녀가

몇 마디 말만 하면 더듬거리며 단어를 찾아 헤매고

당신과의 말다툼에서조차 버벅거리게 되는 것은

아내의 이야기 상대는 종일토록 단어가 부족한

아가들뿐이기 때문입니다.

애 둘 낳더니 당신보다 더 목청 높아진 아내.

아내의 그 높아진 목청은

일상처럼 던져지는 아내의 반복되는 이야기들에

애써 귀 기울여 주지 않는 당신 때문에

작은 소리로 말하기엔 이미 너무 지쳐버린 아내의 고단한 절규입니다.

더 늦기 전에
이제 당신의 아내와 이야기하세요.

당신이 아내를 바라보며 이야기하고 싶을 즈음
아내는 이미 당신과 이야기하는 법을
잊어버리게 되었을지도 모를 일입니다.

눈물, 콧물 빠뜨리게 하는 드라마나 바라보며
쏟아놓을 이야기들을 가슴속으로 잠기게 해버리거나,
유치한 코미디에 깔깔거리며
차곡차곡 쌓아두었던 사랑들을 다 날려버릴지도 모를 일입니다.

당신의 아내가 입을 열어 이야기를 시작할 때
당신은 가슴까지 열어 이야기를 나누세요.
무겁거나 가볍거나 아내와 나눌 그 이야기 속에는
당신과 아내의 결 고운 사랑이 숨어 있음을 잊지 말아주세요.

나는 이 시를 읽고 참으로 많은 부분을 공감했다. 여성이 아내로 살아간다는 것은 많은 부분을 희생하고, 배려하고, 인내하고, 포기해야 하는 것인가 싶어 스산한 느낌마저 들었다.

남자들은 회사만 다니면 그만인 경우가 많다. 집안일은 아내가 알아서 해주고, 아이들도 아내가 알아서 키워주고, 부모님도 아내가 알아서 챙겨주고, 주변에서 발생하는 기타 등등의 대소사도 모두 아내가 해주지 않는가. 남자들이 회사에서 열심히 일할 수 있는 이유가 앞서 소개한 시에 등장하는 아내가 있기 때문이다.

얼마 전 지방 강의 때문에 새벽에 나와 고속도로를 타고 내려가며 생각해보니, 아이들 얼굴을 제대로 본 지 한참된 것 같았다. 너무 바빠서 애들 얼굴도 못 보고 사니 '나 왜 이러고 사나…' 싶었다. 그러면서 그때 내 머릿속에 딱 한 가지 떠오른 생각이 바로 '나도 아내가 있어야 해' 라는 것이었다.

남자들은 여자들한테 직업관이 없다는 지적을 많이 한다. 결혼하면 그만두고, 애 낳으면 그만두고, 애 낳았다고 3개월이나 쉬고, 애 소풍이라고 월차 내고, 애 급식당번이라고 조퇴하고, 퇴근시간 되면 애 놀이방 끝날 시간이라며 급하게 퇴근한다고 말이다. 그럼 집안 대소사에 애들 키우는 이런 일을 남자들이 대신 해주느냐 하면 그렇지도 않다. 남자들에게는 상사가 퇴근할 때까지 퇴근 안 하고 계속 눈치보다가 술 마시러 가자고 하면 2차에 3차에 하며 서너 시까지 술을 마셔주는 것이 직장생활에서는 어쩔 수 없이 해야 하는 일이다. 이런 남자들이 저녁 8시면 알림장 보러 집에 가야 하는 여자를 이해하기 힘든 건 당연하다.

팀원 10명 가운데 8명이 여자인 팀과 실적을 내야 하는 분을 상담한 적이 있다. 대기업이고 직원들의 복지에도 꽤 신경 쓰는 회사인데도 그분과 이야기를 나누면서 우리 사회가 빨리 여성도 일하기 편하게 많이 바뀌어야 한다는 생각을 더더욱 절실하게 했다.

그분이 그 팀을 이끌면서 가장 먼저 갈등을 빚은 것이 바로 회식이었다. 남자들은 대부분 회식하면 소주에 삼겹살을 곁들이면서 죽을 때까지 마시거나, 상대방이 다 죽어갈 때까지 마시게 해서 거의 다 죽은 상태에서 서로 질질 끌려가면 그것으로 단합이 되었다고 생각한다. 그런데 여자들은 다 같이 죽게 술을 마실 수도 없고, 다들 저녁 회식을 싫어하는 것 같다면서 회식 문화를 어떻게 만들어야 하냐는 것이었다. 그때 나는 "〈맘마미아〉 같은 스트레스가 확 풀리는 신나는 공연을 다 함께 보세요. 술값보다 싸게 나올 거예요"라고 대답했다. 그날 이후 바로 팀원들과 공연장에 가서 신나게 잘 놀았다고 인사하면서 그 분은 더 좋은 아이디어가 있다며 알려주셨다.

"삼겹살에 소주 메뉴도 그렇고 해서 팀원들한테 어디로 회식하러 갈까 물었더니 패밀리 레스토랑을 가자고 하더라고요. 아무래도 차분하게 식사하면서 이야기를 나누기 좋은 곳이라 그러기로 했습니다. 그런데 식사하다 보니 놀이방에서 '애 데리고 가라'는 전화가 오고, 알림장 봐야 한다고 일어나고 그러더라고요. 그때 여자 팀원이 직접 아이디어를 내놓았는데, 놀이방이 있는 레스토랑에서 회식을 하자는 것이었어요. 아이들은 자기들끼리 놀게 하고 직원들은 마음 편하게 먹고 얘기하자는 거죠. 12개월 된 아기부터 중학생까지 있으니까 형이나 누나들이 동생들을 돌보면서 노니 우리는 편하게 회식할 수 있더라고요."

그러시면서 예전처럼 죽을 때까지 술 마시면서, 남의 주량 기록 갱신까지 관리하느라 이야기도 제대로 못하는 회식보다 지금 하는 회식이 더 회식답다고 하셨다. 그래서 다른 동료들을 만나면 자기 부서의 회식 방식을 추천한다고 하셨다.

일하는 여성, 그녀를 배려해주세요

우리 회사도 직원이 모두 여자여서 여성에 대한 배려를 안 하려야 안 할 수 없다. 예를 들어 아이들 참관수업에도 다 가고, 입학식에도 참석하게 한다. 급식도 할 수 있게 해줘서 아이들이 기죽지 않도록 배려해주기도 한다.

내가 강의에 가서 이런 이야기를 하면, 직장에서 그런 일이 가능하냐고 물어보는 사람들도 있는데, 사실 다 방법이 있다. 미리 팀원끼리 스케줄만 짜면 충분히 가능한 일이다. 그리고 회사에서 이러한 배려를 해주면 직원들도 더 열심히 일하고, 회사를 위해 자기 스케줄을 조정하기도 한다.

한 직원이 임신했을 때였다. 5개월에 접어들었을 때, 입덧을 심하게 해 출근하는 길에 두 번 정도는 화장실에 들러야 회사에 겨우 도착할 수 있을 정도였다. 그 직원은 집도 멀어서 가장 붐비는 시간대에 지하철만 1시간을 타야 했다. 지하철에 사람이 많으면 냄새도 많이 나고 내 몸 하나 가누고 서 있기도 힘든데 임신부가 사람들 틈바구니에 끼어 있는 것이 보통 일이 아니다 싶어서 출근시간을 늦춰주었다. 나중에 그 직원이 고맙다며 "붐비는 시간에 지하철을 타고 출근하고 나면 점심시간까지 속도 안 좋고 정신이 없어 일에 집중하기 어려웠어요. 한산한 시간에 그나마 편하게 출근하니까 일하는 데 무리도 없어서 좋았어요"라고 했다. 그냥 배려한 것이었는데, 직원의 생산성에 도움이 되었다고 하니 회사에도 도움이 된 결정이었구나 싶었다.

일하는 아내,
그녀의 일을 존중해주세요

우리 회사 직원들이 일하는 데 가장 도움을 주는 사람은 다름 아닌 직원들의 남편들이다. 나는 열심히 일하는 아내를 뒷바라지하는 그들이 참 훌륭하다고 생각한다. 그래서 '남편데이'를 1년에 두 번 정도 만들어서 남편들을 초대해 같이

술도 마시고, 이야기도 하고, 양복도 맞춰준다. 그랬더니 양복 티켓까지 받은 직원 남편 가운데 한 명은 취기에 기분까지 좋아져서 나에게 "원장님, 제 아내를 원장님께 영원히 바치겠습니다"라고 해 우리 모두 한바탕 웃은 적이 있다.

회사에 나와서 일하는 사람들을 보면 그 사람만 보이지만 사실 그 뒤에는 가족이 있다. 가족이 행복해야 남자든 여자든 나와서 일할 수 있다.

내가 바라는 직장의 모습은 여성들이 임신과 출산, 육아의 기쁨도 마음껏 누리고, 또 그런 사소한 배려 속에서 남자들보다 열심히 일해서 능력을 인정받는 회사를 만드는 것이다.

이미 많은 선진기업에서는 여성이든 남성이든 직원 가족의 행복을 함께 만들기 위한 노력을 기울이고 있는데, 이러한 경영 마인드로 회사를 경영하는 것을 가족친화제도라고 한다. 우리나라에서도 최근 들어 우리 현실에 맞는 가족친화제도 도입을 고려하는 회사가 있다. 실제 독일의 연구에 따르면 가족친화제도를 운영하는 회사가 그렇지 않는 회사보다 생산성 면에서 30%나 뛰어나다고 한다.

우리 회사뿐 아니라 다른 많은 기업도 뒤에 숨어서 보이지 않는 직원 가족을 배려해 직원들이 더 열심히 일할 수 있게 하길 바란다.

전업맘과 워킹맘은
이래서 공존하는 관계

일하는 아내는 그 나름대로 임신, 출산, 육아와 자기 직업을 병행하는 데 어려움을 겪으며 살아가고 있고, 일을 하지 않는 아내는 또 그 나름대로 자신이 영원히 뒤쳐지는 것은 아닌가 하는 생각에 재취업을 생각하거나, 40~50대에 갑자기 지출 규모가 커지면서 재취업을 생각하기도 한다. 아직까지 한국 사회에는 선진국이 여성들에게 배려하는 것처럼 임신, 출산, 육아를 지원하는 사회적 시스템이 갖추어져 있지 않아 자녀가 여성의 재취업을 방해하는 요소가 되는 것이 사실이다.

나는 어떤 유형의
아내일까?

그렇다면 한국 사회에서 살고 있는 여성들은 어떤 삶을 살고 있을까? 네 가지 정도로 우리나라 아내들의 삶을 분류할 수 있다.

위기대처능력을 키워야 하는, 현실안주형 아내

첫 번째가 현실안주형 아내다. 현실안주형은 현재 상태에 만족하며, 낙천적인 삶을 살아간다. 이런 유형은 위기가 닥쳐왔을 때 대처능력이 떨어지게 마련이다. 실제로 많은 현실안주형 아내들이 IMF 때 가장 큰 위기를 맞았다. 평생 우리 가족의 생계를 책임질 줄 알았던 남편이 집으로 돌아왔을 때 현실안주형 아내들은 어떻게 대처해야 할지 몰랐다.

나는 이 세상에서 가장 안전한 것이 가장 위험한 것이라고 생각한다. 가정은 언제든 위기를 맞을 수 있는데도 현실안주형 아내들은 자기 가족에게는 위기가 없을 것이라고 생각하고 현재 상태에 만족하며 살아가는 것이다.

나는 결혼생활을 가난하게 시작한 것에 대해 지금도 감사하게 생각하는데 만일 경제적으로 여유 있는 남편을 만났다면, 직장생활을 하면서 힘든 일이 있을 때 집으로 도망갔을지도 모를 일이기 때문이다.

만약 그때 현실에 만족하면서 내 일을 포기했다면 지금의 나는 없었을 것이다. 그래서 어느 정도의 난관, 마음속에 있는 어려움은 약이 된다고 생각한다.

아직도 언제까지나 이 상태가 계속될 것이라고 생각하며 살아가는 아내라면 다시 정신을 차리고, 위기를 해결할 수 있는 능력을 차근차근 길러야 한다.

살림과 육아에서 한발 물러서야 하는, 프로형 아내

두 번째는 프로형 아내다. 내조와 자녀교육, 살림을 정말 잘하는 사람들이 바로 이 유형에 속한다.

이들은 살아가는 내내 대단한 뿌듯함을 느낀다. 그런데 문제는 이들의 뿌듯함의 근원이 자기 자신에게 있는 것이 아니라 가족에게 있다는 것이다. 많은 여성이 폐경기를 맞으면 주부우울증을 겪는다고 하는데, 이들은 알고 보면 프로형 아내인 경우가 많다. 남들이 보기에는 아이들이 잘 성장했고 남편도 반듯한 회사에서 일하지만, 막상 자기 자신을 위해서 해놓은 것은 아무것도 없다는 생각에 우울증에 빠지고 가족에게 자기의 희생에 대한 대가를 보상받고 싶어 한다. 아마 우리 어머니 세대에 가장 많은 유형일 것이다.

가족에 대한 죄책감을 버려야 하는, 자아실현형 아내

세 번째는 자아실현형 아내다. 자신의 성공을 위해 자신감을 가지고 자기 자신의 꿈을 펼치기 위해 노력하는 사람, 바로 나 같은 사람이다. 아이들은 나 같은 엄마를 별로 좋아하지 않는다. 이런 유형은 자기 성취는 할지 모르지만 아이들을 위한 자신감과 자부심은 떨어지기에 다른 아내들이 가정에서 만끽하는 기쁨은 많이 느끼지 못하고, 오히려 가슴 아픈 일을 자주 겪는다.

가끔 휴일에 막둥이와 놀아주면 큰딸이 핀잔을 준다.

"엄마, 걔 엄마가 그렇게 놀아주면 오히려 월요일에 힘들어진다고. 그러니까 그냥 하던 대로 해. 우리 집 콘셉트는 그게 아니잖아."

한편으로는 씩씩하고 낙천적으로 잘 커준 아이들에게 고맙기도 하지만 그럴 때에는 미안한 마음이 앞서는 것이 사실이다.

물론 아이들이 알아서 잘 자라준 것에 감사하지만 엄마 얼굴도 제대로 보지 못하고 자라는 아이들을 보면, 미안한 마음에 괜히 자는 애 방에 들어가 곯아떨어진 아이를 안아주게 된다.

일과 자신의 꿈 사이에서 균형을 잡아야 하는, 생계유지형 아내

마지막으로 생계유지형 아내가 있다. 나는 네 유형 가운데 생계유지형 아내를 가장 주목해야 할 유형이라고 생각한다. 실제로 최근의 기사에 따르면 한국 사회에서 여성 5명 중 1명이 가족의 생계를 책임진다고 한다. 그리고 한국 사회에서 훌륭한 사람들을 보면 생계유지형 아내가 키워낸 아이들이 대다수이기도 하다. 하지만 내가 안타깝게 생각하고, 잘못된 시각 가운데 하나가 바로 이러한 생계유지형 아내를 안 좋은 시선으로 바라본다는 것이다.

과거 여성에게는 현재 여성에게서는 보기 힘든 가족을 책임지는 근성이 존재했다. 시장에서 장사해서 자식들 시집, 장가 보낸 어머니, 남편을 전쟁 때 잃고 혼자서 자식 여럿을 키워낸 어머니들이 바로 그러한 근성을 가진 우리네 어머니의 모습을 보여주는 예다. 이러한 근성이 지금 생계유지형 아내에게서 나타나는 것이다.

대한민국에서 아내로
살아간다는 것

이렇게 아내의 유형을 나누어보고, 또 그들의 삶이 어떻게 다른지를 살펴보는 것은 우리 모두 어찌되었든 아내라는 이름으로 살고 있는 여성이라는 점을 이야기하고 싶어서다.

방송에 나오기 시작하면서 나를 알아보는 사람도 많아졌고, "원장님은 이제 공인이잖아요"라고 이야기하는 사람도 많아졌다. 그렇지만 아이들을 매개로 만나는 학교 엄마들 모임에 갔을 때 나는 그저 우리 아이의 엄마일 뿐이다. 일하면서 만나는 사람들과는 명함도 주고받고, 전문가로 대접받지만 학교 엄마들 모임에 가면 그 엄마들이 보는 나는 '상요 엄마'지 어디 회사 사장님이 아니다.

언젠가 딸 친구가 우리 집에 놀러왔다 자고 간 적이 있다. 그날 저녁에 그 친구 엄마에게서 전화가 왔다.

"우리 희원이 거기서 잤지요? 상요 엄마가 맛있는 것도 해먹이고 그랬다고 해서 고마워서 전화 드렸어요."

사실 그때 내가 대단한 음식을 해준 것도 아니었다. 그냥 아이들이 배고프다고 해서 라면을 끓여줬을 뿐인데, 고맙다고 전화까지 해 내심 화들짝 놀라기도 했는데, 또 한편 생각한 것이 바로 그 엄마에게 나는 '상요 엄마'이지, 원장님이나 대표님이 아니라는 것이었다.

이제 네 살인 막둥이 윤서가 다니는 어린이집에 갔을 때도 그랬다. 어린이집에 온 엄마들 가운데 내가 가장 늙은 엄마였다. 근데 윤서 엄마라는 이유 하나만으로 10년은 어린 다른 엄마들과 네 살짜리 애의 교육에 대해서 이야기를 나누니 세대차이 같은 것은 느낄 수 없었다. 그 속에서 나도 마음이 편해지고, 오히려 다른 엄마들 못지않게 율동도 하고 아이들과 놀아주려고 애쓰는 평범한 엄마였다.

아마 남자들은 아이들 학교에서 만났다 해도 여자들처럼 그렇게 쉽게 친해지지 못할 것이며, 서로 무슨 일 하나 째려보다 시간을 다 보낼지도 모른다. 여자들은 그렇게 다양한 위치에서 살아가면서도 또 한편으로는 같은 위치에서 산다.

알고 보면 일하는 엄마들은 아이들이 자라서 사회에 진입할 수 있는 길을 닦아주고 있고, 전업맘들은 아이들이 안전하게 학교에 다닐 수 있도록 도와주고 있다.

내가 왜 저 여자는 반상회에 한 번도 나오지 않는지 모르겠다고 투덜대는 동안 그 여자는 우리 아이가 들어갈 기업에서 여성도 일을 잘한다는 것을 증명하며 살고 있는 셈이다. 내 딸의 미래를 닦는 사람이 워킹맘이라는 것이다. 그래서 전업맘은 워킹맘의 활동을 응원해줘야 한다. 워킹맘에게 정보를 주고, 워킹맘이 마음놓고 일할 수 있게 해야 한다. 이렇듯 전업맘과 워킹맘은 공생관계를 유지한다. 전업맘과 워킹맘은 반목하고 경쟁하는 대상이 아니라 공존하는 관계여야 하는 것이다.

우리가 늘 명심해야 할 것은 이 세상에는 영원한 워킹맘도, 영원한 전업맘도 없다는 사실이다. 사실 우리 사회는 여성들이 다 전업맘일 필요도 없고 워킹맘일 필요도 없다. 그래도 우리는 다 같이 아내다. 서로 도우며 살아야 하는 아내다.

4

...

꿈은 때때로 당신을 테스트한다

소비할 것인가?
투자할 것인가?

우리 회사에서 진행하는 프로그램 중 '여성소비 심리전문가과정'이 있다. 이 프로그램에 참여하는 여성들은 대부분 공부도 할 만큼 했고 결혼 전에는 사회생활 경험도 적지 않은 사람들 이다. 그중 한 분인 미영 씨는 인천에 사는데, 이 과정이 시작되는 첫 날 전철을 타고 한강다리를 건너는데 그렇게 눈물이 나더라고 했다.

6년 전만 해도 서울에서 직장에 다녔는데 결혼한 뒤 거의 인천에 서만 지냈다. 외출하기 전에 옷이란 옷은 다 꺼내놓고 '이런 옷 서울에 서도 입나?' '서울 가는데 이런 가방을 들어도 되나?' 하는 걱정으로 옷을 몇 번씩이나 갈아입고 또 갈아입었다고 했다.

그가 '여성소비심리전문가과정'에 들어오게 된 것은 영국에 유학가 있는 친구가 보내온 이메일 때문이었다.

그녀는 결혼하면서 직장을 그만두고 '동남아(동네에 남아 있는 아줌마)'의 길을 선택했다고 한다. 인천에서 직장을 다니기도 힘들고, 또 금방 아이가 생겼기 때문이다. 그러면서 임산부일 때는 임산부끼리, 아이가 초등학생이 되었을 때는 아이 또래의 엄마들과 모여서 돌아서면 남는 것 하나 없는 대화를 하루에 대여섯 시간씩 하면서 보냈다. '103동 505호 멤버'였던 것이다. 그날도 동네 아줌마들과 어울려 수다를 떨다 집에 돌아왔는데, 공부하러 영국에 간 친구가 보내온 이 메일에 답장을 쓰다 정신이 퍼뜩 들었다.

어렵게 학비를 마련해 유학을 떠난 친구는 학비를 벌면서 공부하느라 매일매일 분 단위로 끊어서 열심히 잘 살고 있다는 소식을 전해왔다. 그런데 그 친구가 안부 인사차 물은 '넌 어떻게 지내니?'라는 질문에 대답할 수 없었다. '아이는 잘 자라며 남편은 살아보니 성격이 고지식하고, 최근 집 가까운 곳으로 직장을 옮겼다'는 이야기는 줄줄 잘도 썼다. 그런데 '그리고 나는…'이라고 자판을 치고는 더 할 말이 없더라는 것이다. 자신에 대한 이야기는 한 줄도 쓸 수 없었던 것이다.

그래서 뭔가 자신만의 시간, 자신만의 관심대상을 찾자는 생각으로 우리 회사를 방문해 강의를 신청하게 되었다고 했다.

한 시간 동안 순수하게 자신을 위한 시간을 보내라고 하면 막막해 할 사람들이 의외로 많다. 특히 전업맘들은 아이와 대화하기는 연습이 잘 되어 있어서 누구에게 안 뒤질 만큼 잘한다. 한 시간 내내 아이를 괴롭히는 것쯤 일도 아니다. 왜 수학 점수가 떨어졌는지 추궁하면서 두 시간도 보낼 능력이 있다. 아이뿐만 아니라 남편에게도 마찬가지다. 왜 늦었는지, 뭐하다 늦었는지, 왜 애들과 놀아주지 않는지 따지고 들면 3박 4일도 모자란다.

하지만 자기 자신과 대화하라고 하면 막막해진다. '난 지금 뭘 하고 있지?' '뭘 하고 살아야 할까' '나 요즘 무슨 생각으로 살지?' '무엇으로 꿈을 이루지?' 라는 질문으로 리포트를 쓰라고 했을 때 하루 만에 그것을 써내는 아내들은 많지 않다. 지금까지 그런 시간을 갖지 않았기 때문이다. 자신이 무엇을 좋아하는지, 무엇을 하고 싶은지 자기 자신과 대화해보지 않아서다.

결혼한 뒤 남편과 자식들과 대화하고 남편과 자식들을 위해 생각하고 행동해왔다. 남편과 아이들에게 뭘 먹이고 뭘 입히며, 집은 어떻게 꾸밀지 끊임없이 아내 역할, 엄마 역할로만 얘기하고 생각하고 행동했다. 그러는 사이 자신에 대해 관심을 쏟을 수 없었기 때문이다.

하루에 한 시간씩
자신과 대화하라

자신을 위한 시간을 확보하고 적어도 하루에 한 시간씩 순수하게 자기 자신만을 위한 시간을 내자. 처음부터 그 시간을 생산적으로 보낼 필요는 없다. 무엇을 하든 자기 자신에게 집중하고 자기 자신과 대화할 수 있으면 된다.

자신을 위해 시간을 어디에 어떻게 투자할지 정하는 것도 매우 중요하다. 자신이 머무는 곳이, 자신이 주로 활동하는 곳이 어딘가에 따라서 사람도 달라질 수 있고 개발하는 콘텐츠도 달라질 수 있다. 그것은 곧 그 사람의 미래가 달라질 수 있다는 뜻이다.

여기서 시간과 돈을 어디다 투자할까 하는 문제의 중요성을 알 수 있다. 자신을 위해 시간과 돈을 투자하겠다고 마음먹었다 하더라도 어디에 어떻게 투자하느냐에 따라 결과는 엄청나게 달라진다. 동네 아줌마들과 우르르 몰려다니며 유행에 따르듯 뭔가 배우는 것은 의미가 없다. 그것을 왜 배워야 하는지, 자신의 미래와 어떤 관계인지 진지한 검토과정이 없었기 때문이다.

자신의 시간과 돈을 어디에 투자할지 고민할 때는 현재 하는 투자가 미래의 삶을 위해 시너지 효과를 낼지, 단순히 현재를 보내고 현재를 즐기는 목적 없는 투자일지 따져봐야 한다. 목적 없는 투자는 하지 않는 게 차라리 낫다.

현재 돈을 내고 시간을 내서 무언가 한다면 일정 시간이 지나 그 능력으로 생산성 있는 활동이 가능한 곳에 투자하라. 시간이 지난 뒤 세상이 내게 물질적으로든 정신적 보상으로든 돌려주는 투자, 그것이 진정한 투자다.

그런데 특히 전업맘들이 진정한 투자를 하지 못하는 이유는 정보 루트가 좁기 때문이다. 전업맘들이 주로 보는 것이 여성지와 텔레비전, 연예뉴스 같은 것이니 제대로 된 정보를 받아들일 곳이 없다. 신문이나 잡지를 보더라도 연예인 소식이나 보고 텔레비전을 봐도 연예인 결혼이나 이혼 소식만 보기 때문이다. 그것은 시간을 투자하는 게 아니라 소비하는 것이다.

시간과 돈을 소비할 것인가, 투자할 것인가에 대한 개념을 정확히 하고 하루하루 지내자. 사람들은 대부분 시간과 돈을 소비할 뿐 투자하지 않는다. 게다가 그 사실을 대수롭지 않게 넘긴다. 그러면서도 행복한 삶, 남들이 부러워하는 성공을 꿈꾼다. 이 얼마나 모순인가.

시간과 돈을 쓰는 과정을 살펴보면 기본적인 포맷이 그려진다. 돈을 쓰는 주체가 있고, 그 주체가 돈을 씀으로써 발생하는 어떤 영향력이 있다.

예를 들어 술집에서 돈을 쓴다고 해보자. 돈을 쓸 주체인 당신이 돈을 가지고 술집에 가서 술을 마시면 그 과정에서 무엇인가 당신이 하는 행위가 발생한다. 술을 마시고 큰 소리로 떠들고 즐겁게 노래 부르는 것들을 들 수 있다. 그런데 그 돈을 가지고 중국어 학원에 갔다고 치자. 같은 시간에 당신이 하는 행위는 중국어라는 새로운 콘텐츠를 당신에게 준다. 중국어 학원의 영향력과 당신이 합쳐지는 것이다.

두 상황에서 시간이 어느 정도 지난 뒤 생각해보라. 술집에서 보낸 5년 동안 쓴 돈과 시간, 중국어 학원에서 보낸 5년 동안 쓴 돈과 시간, 그 결과는 엄청나게 다를 수밖에 없다.

시간과 돈이 투자대상과 잘 맞아떨어지면 미래에 정말 괜찮은 자기 자신을 만날 수 있지만, 술집처럼 소비로 끝나는 곳에 시간과 돈을 투자하면 소비지향적인 인생이 된다. 시간과 돈과 투자를 적절히 조절해야 원하는 자신을 만들 수 있음을 잊지 말자.

비교급으로는
최고가 될 수 없다

　　자기 인생의 주인공이 되는 삶 그리고 그 인생이 '브라보!'라고 외칠 수 있는 멋진 인생이 되는 삶, 행복한 삶은 누구나 바라는 일이다. 스스로 만족하고 다른 사람이 동경하는 그런 멋진 인생의 주인공이 되려면 어떻게 해야 할까? 주위에서 성공한 사람들을 보면 그 해답은 '프로정신'이다. 그렇다면 어떤 것이 프로정신일까? 나는 프로와 아마추어의 차이를 그 사람의 리더가 누구인가에 따라 구분한다.

　　인생을 돌아보면 항상 끌어주고 자극이 되는 리더가 있었다. 학생 때에는 부모님, 선생님, 선배 또는 앞서가는 친구가 리더가 되었고, 거기에다 그 무엇보다 더 강력한 힘을 발휘하던 시험이라는 리더가 있었다. 아무리 공부를 안 하던 학생도 시험 기간만큼은 공부하는 시늉이라도 냈으니 시험은 가장 강력한 리더였다. 그런데 학교를 졸업하고 사회에 나가면, 이제 시험은 없다. 인생의 중간고사나 기말고사를 치르게 하는 제도도 사람도 없다. 게다가 다양한 방법으로 공부하게끔 하던 부모님도 더는 어떤 자극을 주실 수 없다. 인생의 리더가 완전히 해체되기 시작한 것이다.

이때가 중요한 시기다. 스스로 자신의 강력한 리더가 되는 사람, 그리하여 제 인생의 빛과 그림자에 대한 책임을 스스로 지는 사람의 인생은 그야말로 '브라보 마이 라이프'의 주인공이 되는 것이다. 반면 남편이나 아이의 인생 같은 외부의 영향력에 따라 사는 사람은 다른 사람들이 주인공이 되는 장면에 박수만 쳐주는 인생이 된다.

자기 인생의 리더가 돼라

자기 자신의 리더, 즉 셀프리더(self-leader)가 되어 멋진 인생을 살아가는 사람들은 자신의 판단으로 살아간다. 사회적 분위기나 주변 사람들의 평가에 흔들리지 않고 자기 신념을 가지고 살아가는 것이다. 그러니까 '내 멋대로 사는' 것이다.

잠시 전업맘으로만 살 때도 그랬고, 피아노 학원 원장 시절에도 내가 이해할 수 없었던 주부들의 특징 가운데 하나가 '누구네는~'에 안테나를 잔뜩 세우고 동참하려고 기를 쓴다는 점이었다. "옆집 지연이네가 이번에 대형 냉장고를 샀고, 3층 석철이네는 차를 바꿨대" 하면서 아직 몇 년은 더 쓸 수 있는 자기네 가전제품들이나 차를 헐뜯기 시작하는 것이다.

진영이 엄마는 지금도 기억에 남아 있다. 피아노 교실을 운영할 때 한 건물에 살던 엄마인데 하루는 돈을 빌리러 왔다. 일주일만 쓰고 주겠다고 했다. 아이 유치원에서 재롱잔치를 하는데 모두 캠코더로 촬영할 텐데 자기 집에 있는 것은 구형이라 탱크 같다는 거다. 누구네도, 누구네도 모두 신형인 날렵한 캠코더라서 자기도 하나 장만해야 하는데 돈이 부족하다고, 일주일 뒤면 월급날이니 갚겠다고 했다. 그때 피아노 소리로 시끄럽게 하는 게 늘 미안했던 터라 어쩔 수 없이 돈을 꿔 주기는 했지만 정말 이해할 수 없었다.

진영이 엄마 같은 사람은 생각보다 많다. 물론 꼭 돈을 꾸는 것은 아니지만 정말 필요해서가 아니라 다른 사람들이 사니까 경쟁심에 사는 것이다. 남들은 다 갖고 있는 것을 자신은 갖고 있지 않으면 어쩐지 불안한 것, 바로 경쟁불안 심리다. 남들이 더 넓은 아파트로 옮기면 뒤처지는 것 같아 자기 집도 그렇게 옮겨야 할 것 같고, 남들이 애들을 해외로 영어연수 보내면 자기 아이들도 보내야 할 것 같고, 유명 논술

학원을 보내면 자기 아이들도 보내야 할 것 같고, 조기유학이 붐처럼 일면 아무 대책도 없으면서 덩달아 보내야 할 것 같은 것이다.

자신의 삶에 맞추는 게 아니라 다른 사람에게 지기 싫어서, 다른 사람처럼 살고 싶어서 무작정 따라하면 무리하게 되고 무리하면 결국 탈이 난다. 행복은 물 건너가는 것이다.

운전대를 다른 사람에게
넘기지 마라

이러한 경쟁불안 심리는 결국 셀프리더가 아니어서 일어나는 현상이다. 자신의 인생에 자신이 중심이 되어 흔들림 없이 스스로 옳다고 여긴 길로 가는 것이야말로 행복한 인생을 살아가는 성공한 사람들의 특징임을 잊지 말자.

피아노 학원이 대성공을 거두었는데 난데없이 팔겠다고 하자 다들 말렸다.

"고생고생해서 이제 손도 안 대고 코 풀게 생겼는데 그만둔다고? 미쳤어? 남들은 이런 학원 못해서 난리인데."

"지금 네 나이가 몇 살인데 공부를 다시 해? 그것도 전혀 안 해본 일을. 계속 직장 다닌 사람들은 벌써 팀장들인데 새로운 일에 뛰어든다고? 고생하려고 작정을 했군."

그렇지만 나는 다른 사람들의 말을 듣지 않았다. 다른 사람들과 비교할 생각도 없었고, 다른 사람들의 생각에는 관심이 없었다. 또한 보편적인 생각, 안전한 길, 다 소용없었다. 내가 원하는 대로, 내가 옳다고 믿는 대로 밀고나갔다. 그리고 그 결과 오히려 더 큰 행복을 끌어안았다. 행복을 걷어차는 것으로 보였던 내가 말이다.

다른 사람이 보는 나로서가 아니라 순수한 내 자신으로서 살 때 진정한 행복을 맛보게 된다고 믿는다. 내가 그렇게 살았기 때문이다.

옆집 남편이 무슨 차를 타고 다니는지, 윗집 아이들이 학원을 몇 개 다니는지, 앞집 여자가 무슨 반지를 끼고 다니는지 신경 쓰지 말아야 한다. 그 대신 내가 좋아하고 내가 행복해지는 것을 찾아 내 것으로 하기 위한 노력을 계속하면 그 대가는 더욱 값지게 돌아올 것이다.

여자들이 지금 일을 하고 있다고 해서 지속적으로 60~70세까지 일할 수 있는 환경이 될까? 사실 그렇지 않은 경우가 많다. 알다시피 남자들은 한 번 일하기 시작하면 그만큼 그만둘 환경이 되지 않는다. 무슨 핑계가 있어서 집으로 도로 들어갈 수 있겠는가? 여자들은 수시로 핑계가 많다. 애가 좀 심하게 아파도 집에 들어가야 하고, 시어머니 병간호할 사람이 없어도 집에 가야 한다. 집으로 돌아갈 일이 많기 때문에 여성은 한 번 취업한다고 해서 끝까지 일할 수 있다고 100% 장담도 못하거니와 한 번 전업맘이라고 해서 끝까지 전업맘으로 살게 되는 것도 아니다.

어느 날 갑자기
이루어지는 꿈은 없다

사람이 태어나서 한 번도 안 해본 일을 해야 하는 순간은 늘 온다. 결혼하고 처음으로 끓인 내 작품은 미역국이다. 미역국을 선택한 것은 쉬워 보여서라는 단순한 이유였는데, 내 딴에는 끓인다고 끓였는데 솔직히 그 미역국을 먹고 너무 맛이 없어서 토할 뻔했다. 무슨 놈의 미역국이 미역 따로 놀고 고기 따로 놀고 물 따로 노는 것이었다. 엄마가 끓일 때는 그렇게 쉬워 보이던 미역국이 도대체 왜 이럴까 싶어서 엄마한테 전화했다.

"엄마, 나 미역국 끓이는 방법 좀 알려줘." 그랬더니 엄마는 "그냥 고기랑 미역이랑 물 넣고 자작하게 끓이면 돼" 하셨다. 그래서 "엄마, 세 가지 다 넣고 끓였는데 안 된단 말이야"라고 신경질적으로 말했더니 이번에는 좀더 자세히 설명해주시긴 했다.

"자, 미경아. 엄마가 시키는 대로 해봐. 우선 미역을 불려."

"얼마만큼 불려?"

"아, 그냥 먹을 만큼. 그리고 고기를 참기름 넣고 달달 볶아."

"얼마만큼?"

"적당하게! 거기다 물 넣고 미역 넣고 끓여."

"물 얼마만큼?"

"적당히 부어. 눈으로 보면 알지."

참으로 우리나라 음식처럼 전문적인 기술을 요하는 음식이 없을 것 같다. 왜냐하면 엄마가 하는 음식은 대부분 중량이 없다. 사실 엄마에게 그렇게 물어봐서 음식을 할 때마다 나를 가장 곤란하게 만든 단어는 '갖은양념'이었다. 엄마들은 음식을 어떻게 하냐고 물어보면 그냥 갖은양념 넣고 한 거라고 말씀하신다. 이건 프로가 아니면 절대 할 수 없는 것 같다.

어쨌든 그날 엄마가 가르쳐준 대로 미역국을 끓였더니 그래도 맛이 조금 나아지긴 했다. 그렇게 한 번, 두 번, 세 번 끓이다 보니 지금은 미역국을 얼마나 잘 끓이는지 모른다. 그런데 중요한 것은 내가 끓인 미역국이 맛있는지도 모르면서 그냥 잘 끓인다고 생각하는 점이다.

아마 대부분의 다른 엄마들도 그럴 것이다. "너 숙제하라고 했는데 왜 나왔어? 냉장고 문은 왜 자꾸 열고 그래? 전기세 많이 나오게" 하면서 온 참견 다하며 자기가 미역국 끓이는지도 모르고 엄청 맛있는 미역국을 끓여낸다.

사람들이 "무조건 하라. 그리고 훈련하라. 그럼 뭐든지 할 수 있다"라고 하는 것이 무식해 보이지만, 실은 이것이 프로가 되는 첫 번째 방법이다. 그런데 이것을 일상에 놓을 것이냐, 일터로 놓을 것이냐, 아니면 자원봉사 쪽으로 놓을 것이냐에 따라 결과는 달라질 것이다.

무의식적 자신감의 단계로 끌어올려라

등산을 한 번 생각해보자. 등산은 하면 할수록 정말 매력 있는 운동이라고들 한다. 그런데 등산이 쉬워 보이지만 사실 쉽게 보면 큰코다친다. 나도 등산 몇 번 하다가 죽을 고비를 몇 번 넘겼는지 모른다.

등산을 처음 가게 되면 흥분해서 새 신발 신고, 촌스러운 등산복 입고, 빨간색이나 초록색 스카프 매고 올라간다. 등산 시작 한 시간까지는 아무 문제가 없다. 두 시간 올라가면 슬슬 힘들기 시작하고 이때부터 탈락자가 나오기 시작한다. 그렇게 두 시간쯤에 내려가는 사람은 다시는 등산 같은 걸 할 수 없을 것이다.

세 시간까지 올라간 사람이 있다고 하자. 그 사람은 죽을 것 같다. 잠시 바위에서 쉬기라도 하면 누가 본드로 엉덩이를 붙여놓은 것처럼 안 떨어진다. 그런데 그렇게 세 시간 올라간 사람은 이미 너무 많이 올라가서 내려올 수 없다. 인생도 마찬가지다.

사람들이 "그냥 얼른 올라가서 저쪽으로 내려가는 게 낫다"고 하니까 한 시간 남았다면서 올라갈 수 있게 된다. 그런데 정상을 코 앞에 두고 있으면 참으로 신기한 경험을 하게 된다. 정상을 앞두고 나서는 왜 그렇게 새 기운이 날까? 누군가 "다 왔어. 눈에 보여!" 그러면 이제까지 힘든 건 다 잊어버린다.

드디어 정상에 도착하면 "야호~" 하고 신나게 메아리를 부른다. 원래 초보자들이 더 질러대는 법이라, 심하게 "야호~" 하는 사람은 대부분 초보자로 보면 된다. 그렇게 끝까지 정상에 올라왔다는 성취감은 자기도 모르는 사이에 다음 목표를 정하게 만든다. 다음에는 지리산에를 가겠다고 하는 것이다.

'무조건 하라' '무조건 훈련하라'는 게 이렇게 중요한 것이다. 사실 등산의 묘미는 내려올 때 있다. 올라갈 때는 남의 엉덩이만 따라가느라고 아무것도 못 보는데, 내려가면서는 '내가 올라온 산이 저렇게 멋있었구나. 저기에 저런 경치가 있었네' 하는 생각도 하고 '그래, 세 시간째에서 오이를 먹으면 안 되는 거였어. 다음에는 그렇게 중간에 먹지 말고, 다 올라가서 먹자' 하는 생각도 하게 된다. 그렇게 정상을 올라간 사람은 두 번째 산을 탈 때에는 힘을 훨씬 덜 들이고 올라갈 수 있다. 세 번, 네 번, 다섯 번 똑같은 산을 백 번 올랐다고 치자. 그러면 자연히 그 사람은 그 산을 오르는 데 전문가, 그 산에 대한 전문가가 될 것이다. 그리고 그 전문가가 가지고 있는 경험과 노하우는 돈이 된다.

자신감에는 네 단계가 있다. 처음에는 '무의식적 무능감'이다. 내가 뭘 못하는지도 모르는 단계다. 그러다가 '의식적 무능감'이 온다. 내가 무엇을 못하는지 스스로 알게 되는 것이다. 그러한 사실을 깨닫는 순간 성장하게 된다. 그 다음 단계는 바로 '의식적 자신감'이다.

한국에서 살 때는 영어를 못하는 것에 대해 신경도 안 썼는데(무의식적 무능감) 해외여행을 나가보니 '아, 영어를 못 하는구나'라는 생각을 하게 된다(의식적 무능감). 그런 경험을 한 번이라도 해서 '영어 공부를 해야겠다'고 생각하고 노력하다 보면 어느 순간 '우와, 나 영어 좀 되는데' 하는 단계(의식적 자신감)에 이르게 된다.

그런데 의식적 자신감 단계에서 멈추면 안 된다. 이 단계를 뛰어넘어 마지막 네 번째 단계인 '무의식적 자신감'의 단계에 이르러야 한다. '영어를 잘하지만 잘한다고 스스로 인식하지 않는' 그 순간에 바로 프로가 될 수 있다. 고승 중에 자신이 '난 깨달았으니 이제 부처다'라고 말하는 사람을 본 적이 있는가. 그와 마찬가지다.

나도 이런 자신감이 성숙하는 과정을 경험한 적이 있다. 처음에 강의했을 때에는 청중이 너무 무서워서 '야, 나 이런 식으로 하면 안 되겠다. 더 연습해야겠다' 라고 생각했다. 그리고 무진장 연습에 연습을 거듭했다. 딸아이를 앉혀놓고 하다, 남편이 들어오면 남편과 딸아이를 앉혀놓고 연습했다.

3~4년 지나니까 '나, 진짜 잘하네. 이대로 가면 나보다 강의 잘하는 사람은 없을 거야' 라는 생각을 했다. 그런데 다행히 내 직업은 인생에 한 번도 안 가본 곳에 가서 처음 보는 분들을 만나 강의하기 때문에 강의가 끝나면 내가 더 많이 배운다는 장점이 있다. 강의에서 내 이야기를 듣는 사람들도 공부가 되지만 나도 공부한다는 것이다.

지금은 강의가 끝나고 "원장님, 어떻게 그렇게 강의를 잘하세요?" "원장님 강의는 항상 최곱니다" 하는 칭찬을 들을 때에야 '어머, 내가 강의를 잘하는가 보다' 하는 생각이 든다. 그러면서 무의식적 자신감의 단계에 이른 것 같다는 생각을 한다.

신선도를 유지하라

열심히 하기만 해서, 수십 번 훈련한다고 해서 모두 프로가 되는 것은 아니다. '신선도', 이것이 필요하다. 어제 한 강의를 오늘 또 하고, 내일 또 하고, 10년 전에 강의했던 노트 가지고 오늘도 강의한다면 누가 나에게 강의를 의뢰하겠는가. 10년 전에는 최고였어도 계속해서 새로운 것을 흡수하고 새로운 것을 만들어내지 않으면 그냥 '예전에는 잘나갔다'는 소리에나 만족해야 한다. 그런데 사람들은 대부분 같은 일을 오래하다 보면 변질되는 경우가 많다. 그렇게 변질된 사람은 백화점에만 가도 볼 수 있다.

매장에 가서 "이거 얼마예요?" 그랬을 때 3개월 된 직원은 막 뛰어온다. 그런데 3년 된 언니들은 "거기 써 있잖아요"라고 한다. 같은 일을 오래 한다고 전문가가 아닌 것이다. 신선도를 갖추고 전문성까지 갖춰야 진정한 프로가 되는 것이다.

나는 몇 년 전에 멋진 프로를 만난 적이 있다. 은행 같은데 전화하면, 입사 1년차는 "감사합니다. ○○은행 ○○○입니다"라며 전화를 정말 예쁘게 받는다. 2년차가 되면 "감사합니다. 말씀하십시오" 한다. 3년차가 되면 "감솨쇠슈~" 한다. 억지로 친절하게 응대하느라 마음이 급하다 보니 빨리 말하느라 쇠쇠거리는 것이다.

내가 15년 전쯤 대출 좀 받으려고 한 은행에 전화를 걸었는데, "저기 대출…" 하고 말하려는 순간, "담당자 바꿔드리겠슴댜~" 하고 쇠쇠거리며 전화를 돌렸다. 다행히 전화를 돌려받은 직원은 "감사합니다. 대출과 이○○대리입니다. 말씀하세요"라며 알아듣게 응대해주었다.

"제가 대출을 받으려고 하는데요."

"아, 그러세요. 그럼 혹시 대출자격이 되나 알아봐드릴 텐데요. 계좌번호 좀 불러주시겠어요?"

그런데 통장을 다른 방에 두고 와서 바로 계좌번호를 불러줄 상황이 못 되었다. 그런 경우 대부분은 "계좌번호 찾아서 다시 전화해주세요" 하고 탁 끊어버리는데, 그 직원은 친절하게 기다리고 있겠으니 가지고 와서 불러달라고 했다. 그리고 대출받으러 올 때 필요한 서류를 불러줄 테니 메모 준비하라며 또 기다려주는 것이 아닌가.

나는 그분이 아주 오랫동안 기억에 남는데, 바로 그분이 내가 생각하는 프로이기 때문이 아닐까 싶다. 같은 일을 오래했다고 전문가가 되는 것이 아니라 자기 일에서 매너리즘에 빠지지 않고 얼마나 유통기한을 길게 늘려가느냐에 따라서 마지막에 프로로 존경을 받을지가 결정될 것이다.

5 : 1 : 1 : 3 법칙을
아시나요?

　　'어떻게 벌었느냐' 보다 '어떻게 쓰느냐' 가 중요
하다는 것은 누구나 아는 사실이다. 소비는 참 중요한 행위다. 소비하
지 않는 삶은 없으니 말이다. 따라서 당연히 어떻게 소비하느냐는 그
사람의 삶의 질을 말해준다. 그러니까 잘 벌고 절약하는 것 못지않게
중요하게 잘 쓰는 것을 주의해야 하고 배워야 한다.

　　어떻게 소비하는 것이 좋을까? 이렇게 물으면 어떻게 소비하든
많이만 소비했으면 좋겠다고 할 것이다. 그런데 도깨비방망이를 가지
고 있는 게 아니라면 아무렇게나 많이 쓰다보면 꼭 써야 할 때도 못 쓰

게 된다는 사실을 명심해야 한다.

무조건 아끼고 절약하는 것은 시대착오적인 생각이다. 지금은 소비와 생산이 맞물려가는 시대다. 간단히 말해 누군가 소비해야 누군가 생산할 수 있다. 누가 하든 소비는 중요하지만 특히 아내의 소비활동은 무척 중요하다. 한 가족의 행복과 불행이 아내 손에 달려 있다고 해도 지나친 말이 아니기 때문이다.

효율적인 소비, 바람직한 소비가 되려면 옳은 판단이 선행되어야 한다. 즉 이 소비가 꼭 해야 하는 건지 잘 판단해야 한다. 이러한 판단이 대부분 아내 손에서 결정된다. 때문에 아내가 어떤 판단으로 소비하는지가 한 가정, 나아가 국가경제의 건강성에 미치는 영향력은 아주 크다.

어떻게 쓰느냐, 즉 어디에다 지출하느냐에 따라 그 사람의 현재 만족도는 물론이고 미래의 만족도가 달라진다. 현재의 만족도에 중점을 두고 소비한다면 분명 미래의 만족도는 떨어질 것이다. 돈을 쓰되 미래를 위한 투자도 해야 한다. 그렇지 않으면 미래에 후회하게 된다. 물론 투자하더라도 제대로 해야 그 효과를 볼 수 있다.

나는 돈 쓰는 방법을 '5 : 1 : 1 : 3' 법칙으로 설명한다.

5 : 1 : 1 : 3 법칙은 지출보다는 투자개념에 근거를 둔 돈 쓰기 방법이다. 자신의 경제상황, 수입상황에 맞지 않을 수도 있지만 이 법칙에 준해 자신의 경제를 계획하면 좋을 것 같다.

5비축 :
미래를 준비 · 대비한다

첫째, 수입이 100만 원이라고 가정했을 때 50만 원은 무조건 저축한다. 수입의 50%는 처음부터 자신의 돈이 아니라고 생각하는 것이다. 그럼 누구 돈일까? 바로 미래의 내 돈이다. 자신의 미래를 위해 저축해야 하는 것이다. 그런데 많은 사람이 저축해야 하는 돈을 현재 자기 돈이라고 생각한다. 그래서 "나중에 결국 내 돈이 되는데 필요할 때 좀 쓰면 어때?"라고 생각하는 순간 그 돈은 사라진다. 그럼 미래도 불투명해진다. 심지어 자신의 미래의 돈은 물론이고 부모 돈도, 형제 돈도 다 자기 돈처럼 활용하는 사람들은 자신뿐만 아니라 모두 불행하게 만든다.

자기 돈만 자기가 가져가는 습관을 들이면 미래의 나를 위한 돈을 좀더 쉽게 마련할 수 있다. 아무리 자신의 것이라도 미래를 위한 부분은 남의 돈처럼 취급하는 관리능력이 없다면 미래의 자신을 포기하는 것과 같다. 자본주의 사회에서 자신이 갖고 있는 미래의 꿈을 현실화해서 눈앞에 갖다놓을 수 있는 가장 강력한 도구가 무엇일까? 바로 돈이다.

이곳저곳에서 강의하다 보면 많은 분이 이렇게 얘기하는 것을 듣는다.

"원장님, 저는요, 남편 퇴직하고 나면 경치 좋은 곳으로 내려가서 우리가 가지고 있는 돈과 기술을 모두 투자해 펜션 사업을 할 거예요."

펜션 사업, 노후에 하기 정말 좋은 사업이다. 자연을 즐기면서 노부부가 함께 여러 인생을 만나고, 그러는 과정에서 자신들의 인생 노하우를 들려줄 수도 있는 멋진 사업이 될 수 있다. 그런데 중요한 것은 그런 사업을 할 수 있는 자본이다. 하고는 싶은데 돈이 없으면 못한다.

그래서 돈 관리가 곧 미래와 꿈 관리를 의미하는 것이다. 돈 관리가 안 되는 사람은 꿈 관리가 전혀 안 된다고 봐야 한다. 꿈과 미래를 위해 50%는 무조건 저축해야 한다. 그것은 미래의 돈이므로 절대 손대면 안 된다. 손대면 도둑질이라는 정도의 각오로 관리해야 미래가 보장된다.

1 투자 :
경쟁력과 저력을 높인다

둘째, 수입의 10분의 1은 반드시 가족의 미래를 위해 투자해야 한다. 이때 반드시 아내 자신의 미래를 위해서도 투자해야 한다.

아이들은 물론이고 남편과 나를 재교육하기 위해 투자하자. 학원, 도서 구입, 체험과 견학이 필요하다면 그곳에 투자하라는 것이다.

미래를 위한 투자 가운데 투자대비 효과가 가장 좋은 것은 뭐니 뭐니 해도 책이다. 책에는 미래를 예측할 수 있는 지혜가 숨어 있다.

미래를 예측하는 능력은 인생을 살아가는 데 큰 힘이 된다. 성공한 사람치고 책을 가까이하지 않은 사람이 드문 이유도 이 때문이다. 아이들에게 책을 읽으라고 노래 부르는 이유도 바로 여기에 있다. 그런데 아이들에게 책을 읽으라고 노래하면서도 정작 자신은 1년에 책 한 권 제대로 안 읽는다. 친구들과 술을 마시거나 드라마 볼 시간은 있어도 책 읽을 시간은 없다고 엄살을 부리는 아빠, 엄마들이 많다.

특히 아내들의 독서 수준은 생각보다 훨씬 심각하다. 스스로 읽지 않는 것도 문제인데 자녀들이 책을 읽는 것마저 방해한다. 책을 읽어도 시험이나 논술에 잘 나오는 책들, 그것도 요약해놓은 책들만 읽게 하는 것이다. 아이가 역사나 환경에 관심이 있어서 그쪽 분야 책을 읽고 있으면 공부할 시간도 없는데 그런 것이나 읽고 있다고 못 읽게 하는 우스꽝스러운 광경을 연출한다. 당장 눈앞의 점수에만 신경 쓰며 아이의 저력이 자라는 것을 오히려 방해하는 것이다.

인터넷으로 검색하면 모든 정보를 다 얻을 것처럼 보이지만 아무리 세상이 변해도 책이 주는 힘은 결코 약해지지 않았다. 인터넷 검색은 오히려 시간을 소비하게 할 뿐이다. 인터넷 검색을 하다 몇 시간씩 흘려보낸 경험이 다들 있을 것이다.

집 안 곳곳에 대여섯 권의 책을 두고 눈에 띌 때마다 펼쳐 읽는 것도 괜찮은 방법이다. 대여섯 줄, 대여섯 페이지 읽다 책갈피를 끼워놓고 짬나는 대로 읽는 것이다. 나는 이런 방법으로 한두 달에 걸쳐 네다섯 권의 책을 읽는다. 이렇게 한꺼번에 책을 읽으면 복잡해질 것 같지만 오히려 그렇게 하면서 정보가 더 튼튼하게 소화되는 면도 있는 것 같다.

1 보상 :
새로운 에너지를 충전한다

'열심히 일한 당신, 떠나라'는 광고 카피가 대유행한 적이 있다. 아직도 간간이 이 말을 써먹는 사람들이 있을 정도다. 사람들이 스스로 가련하게 여길 만큼 치열하게 살고 있다는 말이고, 또 그에 비례하여 보상을 받고 싶다는 뜻이다. 보상의 중요성을 알려주기 때문에 참 중요한 말이라고 생각한다. 사실 보상이 없으면 양질의 행동이 지속될 수 없다.

우리 집에는 한 달에 한 번 한 사람씩 순번을 정해 그 사람의 날을 만들어 그날은 나머지 가족이 그 사람을 위해 지내는 행사를 한다. 그 달의 주인공이 원하는 것을 다른 가족이 해주는 것이다. 가족끼리 서로 해주는 보상인 셈이다. 가족들 각자가 워낙 바빠서 평소에 온 가족이 함께하는 시간이 드물기 때문에 그런 식으로라도 기회를 만들어야 할 듯해서 정한 것이다.

주인공이 원하는 식당에 가서 외식도 하고, 영화 같은 볼거리를 보러 가기도 하고, 놀이동산에 가기도 한다. 기억에 남는 날은 둘째가 주인공인 날이었는데, 하루 종일 잠옷 입은 채 빈둥대며 만화 보기여서 우리 다섯 식구가 모두 하루 종일 잠옷을 입고 씻지도 않고 지낸 날이다. 이상할 것 같았는데, 아주 괜찮았다. 주인공의 날 행사의 효과는 생각보다 무척 좋았다. 아이들도 남편이나 나도 그날을 기다리게 되었다. 미리 정해진 날이기 때문에 각자 스케줄을 짤 때 피할 수 있어서 주인공의 날 행사가 펑크 나는 일은 거의 없다.

주인공의 날 행사가 우리 집 문화로 자리 잡고 난 뒤 우리 가족 개개인이 각자의 생활에서 점점 좋은 결과를 내고 있는 것이 느껴졌다.

보상 중 가장 추천하고 싶은 것은 바로 여행이다. 그야말로 열심히 일하고 열심히 공부하고 가끔은 확실하게 떠나주는 것이 필요하다. 우리에게는 모두 그만한 자격이 있다. 더 정확히 말하면 그만한 자격이 있게끔 살아야 한다.

샐러리맨에게는 여름휴가가 1년 내내 손꼽아 기다리는 보상이다. 작게는 토요일을 기다리듯 말이다. 물론 일을 한다는 자체가 자신이 학생 때부터 인생을 위해 노력해온 것에 대한 보상이기도 하다. 어떤 일에 몰두할 수 있고 그 대가를 받는다는 것 자체가 말이다.

그렇지만 사람이기에 구체적이고 물리적인 보상이 필요하다. 어떤 사람은 갖고 싶었던 오디오 세트를 사기도 하고, 멋진 옷을 사기도 하고, 목표로 삼았던 차를 사기도 한다. 다 괜찮은 보상이다. 그렇지만 여행만큼 몸과 마음, 머리까지 충만하게 해주는 보상은 없는 것 같다.

특히 1년에 한 번 정도는 평소에 꼭 가고 싶었던 곳으로 여행 가는 것을 적극 추천한다. 1년 내내 준비하는 마음으로 살다가 그 기간에 마음껏 즐기면 된다. 1년 동안 열심히 고생하고 또 1년에 한 번 정도 멋진 곳으로 여행을 떠나는 것이 얼마나 멋진 삶인가? 특히 아이들에겐 더없이 좋은 현장교육이 된다.

꼭 돈이 많아야 여행할 수 있다는 생각을 버리고 아낌없이 여행을 떠나야 한다. 가난하니까 나중에 부자 되면 여행 가겠다고 생각하는 사람들은 결국 부자도 못 되고 여행도 못 간다. 가난해도 계획을 잘 세워서 가족과 함께 여행가는 가정은 곧 잘사는 집이 된다. 어른은 어른대로, 아이들은 아이들대로 여행에서 뭔가 얻어오고 그것을 자신의 삶에 적용하기 때문이다.

3운영 :
원활하게 활동할 수 있게 한다

생활하기 위해 필요한 여러 지출은 수입의 30% 안에서 해결할 수 있도록 예산을 짜야 한다. 잘 알다시피 교통비, 식비, 의료비, 공과금 등을 이 30% 안에서 해결하라는 의미다. 게다가 비자금은 이 부분에서 마련해야 한다.

내가 5 : 1 : 1 : 3 법칙을 강의한 지가 10년이 넘는다. 얼마 전에 어떤 분에게서 메일을 한 통 받았다. 6년 전에 이 5 : 1 : 1 : 3 법칙에 대한 강의를 들었던 분이라고 메일 서두에 썼다. 그 당시 대리였던 그는 내 강의를 듣고 철저하게 5 : 1 : 1 : 3 법칙을 지켰다고 한다.

원장님 강의를 듣고 힘들지만 5 : 1 : 1 : 3 법칙으로 돈을 사용했어요. 제가 미래에 꼭 해보고 싶은 일이 있는데 수입의 50%를 저축한 덕에 지금 그 일을 할 돈이 거의 마련되었어요. 그래서 자신감이 충만한 상태로 살고 있어요. 미래를 위한 10% 투자 덕에 영어와 중국어를 자유자재로 할 정도가 되었고요.

10%는 자신에게 보상하는 걸로 짬짬이 여행도 다녔지만 저축했다가 콤플렉스였던 코를 살짝 고쳤어요. 평생 숙원을 푼 셈이죠.

열심히 일하고 살면서도 늘 불안했는데 이제 확신과 자신감에 차 있어요. 감사하다는 말 전해드리고 싶어 메일 씁니다.

용두사미식이 아니라 5년, 10년에 걸쳐서 한 번 실천해보면 당신 스스로 봐도 반할 만한 사람이 되어 있을 것이다.

그런데 꼭 이렇게 말하는 사람이 있다. '이번 적금 끝나면 시작하겠다.' '이미 카드를 많이 써서 50%만큼 저축할 수 없다.' '내년부터 하겠다.' 그렇게 핑계를 대다 보면 결국에는 아무것도 못하게 된다. 지혜롭게 현재의 문제를 해결하고 빨리 5 : 1 : 1 : 3 법칙을 시작해야 한다. 물론 붓고 있는 적금이 있다면 마무리 짓기는 해야겠지만 차근차근 계획을 짜고 실천하려고 노력하다 보면 5 : 1 : 1 : 3 법칙은 지킬 수 있다.

또 한편으로는 '수입의 70%를 저축하겠다' 는 사람도 있다. 수입이 아주 많은 사람이라면 30%로도 충분히 보상과 투자가 가능하겠지만, 일반적인 경우라면 이건 반대다. 콘텐츠를 갖추기 위한 투자와 의욕을 높여주는 보상은 당장 하지 않으면 안 된다. 미래에 사용할 절대적인 금액은 더 생길지 모르지만, 미래의 삶의 질은 차원이 달라질 테니까 말이다. 막말로 돈만 많으면 뭐 하겠는가? 돈을 의미 있고 멋지게 쓸 줄도 모르고, 후배나 다른 사람들에게 나눠줄 콘텐츠도 없고, 자신만의 특징도 없는 미래라면 별로 의미가 없다. 돈, 매력 있게 지혜롭게 소비하자.

시간은 당신의 무기,
시간을 죽이지 마라

강의가 끝나면 가끔 아내들에게 "원장님은 정말 대단하세요. 어쩜 그렇게 성공하셨어요?"라는 질문을 받는다. 어쩌면 나처럼 20년 가깝게 강의하면서 열심히 살면, 누구나 지금의 나와 같은 모습일 법한데도 자기는 아무것도 하지 않으면서 나만 이만큼 이루었다고 부러워한다. 그런데 나는 일주일 내내 하루 종일 강의하라고 하면 할 수 있는데, 살림하라고 하면 못할 것 같다. 그런 점에서 그들이 오히려 더 대단하다는 생각이 든다.

엄마가 전업맘인 아이들 중에는 엄마는 뭐 하시냐고 물어보면

"우리 엄마, 놀아요"라고 대답하는 아이들이 있다. 나는 솔직히 그런 아이를 보면, "너희 엄마가 하는 일이 얼마나 많은데 논다고 말하니?" 하고 반문하고 싶다. 그저 사회적 능력이 다져진 사람인지, 가정이라는 공간에서 오랜 시간 살림 능력이 발휘된 사람인지의 차이일 뿐인데 우리는 전업맘과 워킹맘을 다른 기준으로 바라보는 듯하다.

워킹맘은 뭐 좀 하는 사람처럼 보이고 전업맘은 집에서 빈둥대는 것처럼 보이는 이유는 아마도 그들이 시간 사용 패턴 때문인 거 같다. 워킹맘은 출근해서 오전 업무 보고 점심 먹고 오후 업무 보고 저녁에 퇴근해서 집에 오는 스케줄에 따라 움직인다. 전업맘도 비슷한 시간대에 각각 처리해야 할 일이 있다. 살림이 워낙에 티가 안 나는 일이기도 하지만 전업맘의 경우 설거지하다, 잠깐 쉬다, 청소하다, 잠깐 쉬다 하니 일하는 것이 그다지 눈에 두드러지지 않는다. 시간을 이렇게 쓰다 보니 시간이 쪼개지면서 낭비되기도 한다.

출근부터 보면, 워킹맘의 경우 출퇴근 복장이 따로 있고, 일어나서 출근 준비하면서 아침을 시작하지만 전업맘은 눈 뜨는 것이 곧 출근이고 집 안이 회사다보니 하루 종일 같은 옷을 입고 친구도 만나고 장도 보고 하기 십상이다.

그런 식으로 옷이나 자기 모습에 변화가 없다면 지루할 것 같다는 생각이 들기도 한다. 하루 종일 같은 옷을 입고 화장도 잘 하지 않는 자기 모습이 너무 허무하고 권태롭다면 외출복과 집에서 입는 옷을 구분해서 입기만 해도 기분이 한결 나아질 것이다.

만나는 장소와 사람에 따라 복장도 달리하고, 장 보러 갈 때도 운동복이 아니라 산뜻한 옷차림을 한다면 무언가 새로운 느낌이 들 것이다.

집에서만 보던 남편을 회사 앞에서 만난 적이 있는가? 나도 언젠가 남편 회사 근처에서 강의가 있어서 남편과 같이 점심을 먹은 적이 있는데, 매일 아침 출근할 때 양복 입고 나가는 것을 봤음에도 그날 회사 출입증을 목에 걸고 정장을 입고 있는 남편은 매우 신선해 보였다. 아내도 마찬가지다.

어떤 전업맘은 아침에 일어나서 화장하고 머리까지 만지고 아침식사를 준비한다고 한다. 그래서 남편에게 맨 얼굴을 보인 적이 없다는 것이다. 전업맘도 단지 직장이 집일 뿐이니 매일 새로운 옷으로 갈아입고 출근하는 기분으로 아침을 맞이하면 조금은 색다른 기분이 들 것이다.

가사노동에도 출퇴근이 필요하다

워킹맘이 출근해서 오전 업무를 볼 때, 전업맘은 무엇을 할까? 회사에서는 주로 오전에 팀 미팅을 하거나, 그날 해야 할 일을 정리하고 계획을 세우는 업무를 한다. 그래서 차근차근 하나씩 해나가다 보면 뿌듯하기도 하고, 한시름 놓았다는 생각도 한다. 그렇다면 전업맘은 어떨까? 아침에 분주하게 남편 출근시키고, 아이들 학교 보내고 나면 그때부터 쉬는 시간이 시작된다.

어제 만난 103동 505호 멤버들이 모여서 하던 이야기를 이어가는데, 사실 이야기의 목적은 없다. 그저 연예인 이야기나 옆 동 사는 사람들 이야기가 주된 화제다. 여자의 수다는 끝이 없다고 하지 않는가? 이야깃거리가 떨어질 때까지 다양한 간식과 함께 시간을 보낸다.

사실 이 시간대가 가장 위험한 시간대이기도 하다. 그야말로 자기만의 시간을 가질 수 있는 기회인데, 그 시간을 수다로 허비하는 것이다. 수다 자체가 나쁘다는 것이 아니라 매일 같은 공간에서 같은 멤버끼리 이루어지는 수다는 큰 의미가 없다는 것이다.

다른 장소에서 다른 사람을 만나는 것은 엄청난 자극이 된다. 또한 새로운 정보를 얻고 콘텐츠를 쌓을 기회도 된다. 전업맘들도 매일 다른 장소에서 다른 사람과 시간을 보내야 한다. 그래야 삶이 조금씩 바뀔 수 있다. 바로 이 오전 시간이 전업맘의 삶을 바꿔주는 결정적인 시간인 셈이다.

점심시간이 되면 워킹맘은 외부 사람들과 미팅하면서 식사하거나, 회사 사람들과 식사하면서 회사에 대한 정보도 얻고, 영업도 한다. 점심시간도 업무의 연장인 셈이다. 전업맘의 점심식사는 정해진 시간이 거의 없다. 대충 아무거나 꺼내 서서 끼니를 때우고, 청소며 빨래 등을 하다보면 시간이 다 간다. 그리고 아이가 돌아오기 전에 은행이나 관공서 등에 가서 처리해야 할 일을 한다. 그런데 이 시간 역시 잘 못 활용하면, 한 뭉텅이로 사라지기 쉬운 시간이 된다.

워킹맘은 점심 미팅이 끝나면 오후 업무가 시작되어 본격적으로 그날 해야 할 일을 해나간다. 전업맘은 점심시간이 끝나는 기점이 아니라 아이가 돌아오는 시점부터 본격 업무를 시작한다. 아이의 책가방을 바꿔주고, 준비물을 챙기고, 저녁식사 거리를 준비해야 한다.

워킹맘이 퇴근할 저녁 시간이 되면 전업맘은 더욱 바빠진다. 물론 워킹맘도 저녁에 집으로 돌아오면 전업맘과 마찬가지로 가족의 식사를 준비하거나 낮에 하지 못하는 집안일을 해야 하는 경우도 있다. 어쨌든 전업맘은 아침에 나갔다 돌아온 식구들을 보살피느라 퇴근 시간이 없다.

전업맘을 제외한 나머지 가족은 심리적으로 퇴근했다고 생각하고, 이제부터는 엄마나 아내가 자기를 살펴줘야 한다고 생각한다. 그런데 문제는 전업맘은 퇴근시간이 없다는 것이다. 아침에 눈 뜨는 것이 출근이듯이 밤에 눈 감을 때가 되어야 퇴근하는 셈이다. 연일 야근의 연속이다.

재미있는 전업맘을 만난 적이 있는데, 그분은 출퇴근 시간을 정해놓고 밤 10시가 되면 자기 일은 끝났다고 선언한다고 한다. 애들이 10시 넘어서 배고프다고 하면 자기들이 알아서 라면을 끓여 먹든, 남은 밥에 반찬을 꺼내 먹든 알아서 하게 하는 것이다.

그렇게 나름대로 가정 안에서도 퇴근시간을 정해놓으면 아이들은 엄마에게도 자기 시간이 필요하다는 것을 인식하고 스스로 자기 관리를 하고, 남편도 아이 숙제를 함께 봐주거나 아내가 그 시간에 퇴근할 수 있도록 집안일을 함께 한다고 한다.

가족도 그렇게 습관들이기 나름이다. 주부도 퇴근시간을 정하고, 가게 문 닫듯이 문을 닫아야 한다. 주부가 24시간 편의점으로 인식되어서는 안 된다.

동네 아줌마도
그냥 만나지 마라

　　　전업맘일 경우 만나는 사람은 대부분 같은 동네 아줌마들일 수밖에 없다. 일명 '동남아' 끼리 만나더라도 어떤 식으로 만날 때 내적으로 자기발전이 가능할지 한 번쯤 생각해볼 문제다.

　　동네 아줌마들이 서로 만나는 이유는 어떤 공통적인 관심사가 있기 때문이다. 필요한 정보를 모아야 한다든지, 또래의 자녀가 있어서 육아에 대해 서로 도와야 한다든지, 아니면 아이 교육을 어떻게 해야 할까와 같은 공통 관심사가 있을 때 아줌마들은 잘 뭉친다. 어떻게 보면 동남아도 전업맘의 생존전략이 될 수 있다.

그렇지만 이 생존전략이 처음 얼마 동안에는 이유가 되지만 곧 퇴색하게 마련이고 그저 시간 때우는 모임으로 변질되곤 한다.

동네 아줌마를 만나되 그저 시간 때우기 위해 만나는 게 아니려면 어떻게 해야 할까? 그 방법을 알기 위해서는 우선 아줌마들의 모임 변천사에 대해 알아야 한다. 변천사를 알아야 그 변천사에서 이탈하려는 새로운 시도를 할 수 있다. 아줌마들의 변천사는 아이들의 성장 그래프와 맞물려 있다.

첫째, 결혼하기 전에는 회사를 다니다 결혼하고 전업맘으로 살게 되면, 24시간이 갑자기 자기 앞에 온전히 떨어진다. 결혼 전에는 회사 일이며 친구들 모임이며, 정신없이 바빴는데 결혼하고 나니 남편이 출근하고 나자 시간이 괴물처럼 다가온다. 애도 없으니 정말 할 일이 없다. 그때 무엇을 하느냐가 중요하다. 그런데 대부분의 여자들이 전화기를 집는다. 비슷한 처지의 친구와 전화로 수다를 떨거나, 일하는 남편에게 쓸데없이 전화해서 투정을 부리거나 일찍 퇴근하라고 재촉한다.

가끔 아파트 단지나 동네를 오가는 길에 부딪치는 동네 아줌마들이 차 마시러 놀러오라고 초대도 한다. 이때 '103동 505'호에 가서 차 마시기를 시작하면 아줌마 행렬에서 빠져나오기 힘들어진다. 그 첫 초대를 예의 있게 거절했다 하더라도 임신하게 되면 정보가 필요해서 임산부들끼리 서로 어울리게 된다. 그때부터 모이기 시작한다.

엄마가 된다는 두려움이 그들을 모이게 하고 정보를 공유하게끔 한다. 함께 라마즈 호흡법 강의도 듣고 임산부 체조 강의도 듣고 한다. 그렇게 어떤 목적으로 해서 함께 시간을 보내게 될 끼리 집단을 만드는 것이다.

둘째, 출산 후부터 아이가 4~5세 정도일 때에는 더욱 끼리 집단이 필요하다. 애가 태어나면 정보도 필요하고 혼자서 애 키우는 게 걱정스럽고 두렵기 때문이다. 육아 정보를 얻을 수 있고 여럿이 모여 애를 보면 편하기 때문에 이 모임은 더더욱 필요하다. 어울려서 같이 애를 보면 애들끼리 서로 놀아서 잠시나마 엄마들이 애들에게서 벗어날 수 있고 자신들도 서로 얘기하면서 놀 수 있다. 그리고 서로 품앗이도 한다. 급한 일이 있으면 애를 봐주기도 하고, 이유식 같은 것이나 주전부리를 만들어 함께 먹이기도 한다. 이때 엄마들은 거의 무조건 뭉친다고 봐야 한다.

셋째, 아이가 초등학교에 입학하면 학부모회 등을 통한 학교 활동을 하면서 모인다. 이때는 동네에서 학교로 아주 조금 영역이 넓어지기도 한다. 그렇지만 경제심리나 경계심리 때문에 역시 가까이 살거나 비슷한 처지의 사람들과 어울리게 마련이다.

넷째, 자녀가 중고등학생일 때는 대입에 관한 정보가 중심 매개가 된다. 그리고 이쯤에서 찜질방 부대가 탄생한다. 남편은 무지 바빠지고 아이들도 학원이다 뭐다 해서 늦게 오기 때문에 결혼 초기처럼 시간이 다시 지천으로 널리게 된다. 결혼 초기에는 혼자였다면 이제는 동지들이 있다. 그들과 함께 찜질방이나 헬스장, 라이브 카페 등에 몰려다닌다. 인생을 재설정할 소재를 배우거나 채우기 위해 몰려다니는 게 아니라 그저 시간 죽이는 행동만 한다. 그리고 이때부터 소득수준에 따라 모이는 부류가 점점 선명하게 나뉜다.

이런 동네 주부들의 모임 변천사를 고스란히 답습한다면 인맥이 넓어질 수 없다. 사실 동네 아줌마들은 무척 폐쇄적이다. 오히려 직장에 다니는 여성들이 열려 있는 편이다. 왜냐하면 회사일을 하다 보면 싫어도 만나야 할 사람을 만날 일도 많아서 억지로라도 개방적일 수밖에 없다. 그렇지만 '동남아'들은 싫은 사람은 굳이 만날 필요가 없다. 자기가 보기에 좋은 사람들끼리 만나기 때문에 결과적으로는 사회성이 떨어질 수밖에 없다. 초등학생들이 친구를 만나는 기준과 거의 같다. 초등학생들은 자기가 싫은 친구와는 안 논다. 서로 즐겁게 놀면 되지 어떤 목적을 이끌어내야 하는 게 아니기 때문이다.

가치를 높여줄 관계로
만들어라

전업맘들이 사회로 돌아오거나 사회로 들어오는 것을 두려워하는 이유가 바로 이러한 '동남아 마인드' 때문이다. 싫은 사람을 만나는 연습은 안 하고 서로 비슷하고, 대화도 잘 되는 사람들만 만

나는 동남아의 특성 때문에 사회성이 떨어지는 것이다.

자신이 싫거나 자신을 거부하는 사람을 만나서 그 사람에게 치이고 비난받는 것을 견딜 자신이 없다. 그래서 동네 아줌마들이 폐쇄적이라는 것이다. 전업맘으로 지내더라도 동남아의 부정적 측면을 가지지 않고 인적 네트워킹을 잘 하려면 몇 가지 방법이 있다.

첫째, 끼리끼리 모이는 모임의 폐쇄성 문화를 빨리 자각하자

비슷한 사람끼리 변하지 않는 모습으로 모이는 같은 성격의 모임을 몇 년씩 하게 되면 결국 폐쇄적이 될 수밖에 없다. 이러한 폐쇄성 문화를 빨리 자각하고, 탈피해야 한다. 자기들끼리 옳다고 정해놓은 원칙이 다른 모임에서는 옳지 않은 것이 될 수 있음을 알아야 한다.

둘째, 싫은 사람들이 있는 모임에도 나가자

싫어도 어쩔 수 없이 나가야 하는 모임을 통해 자신을 깨뜨릴 수 있다. '초딩수준' 수준의 인간관계를 만들지 말자. 싫은 사람이 끼어 있는 모임에도 나가서 떨어진 사회성을 다시 높여야 한다.

셋째, 매일 또는 매주 다른 사람들과 다른 성격의 단체를 만나자

동네 아줌마들을 만나더라도 여러 주제로 여러 사람을 만나면 충분히 가능한 이야기다. 다양한 세상의 사람들을 접하지 않고 계속해서 같은 부류의 사람들만 만나다 보면 그들의 틈바구니 안에서 자신이 어떤 사람인지 확인할 길이 점점 사라지게 된다. 예를 들어 월·수요일에는 중국어 학원에서 엄마들을 만나고, 화요일에는 동창들을 만나고, 금요일에는 봉사활동을 하고, 이런 식으로 아줌마들을 만나도 여러 부류의 아줌마들을 만나야 한다.

싸가지 없고 수준도 안 맞는 사람도 만나고, 나와 전혀 다른 세상에서 사는 사람들도 만나야 비로소 인적 네트워크가 만들어지기 시작한다. 직장인들이 사회생활을 하면서 인적 네트워크를 형성하듯이 전업맘들도 충분히 할 수 있다.

넷째, 비즈니스 마인드로 동네 아줌마를 만나자

전업맘들끼리 하는 모임의 가장 큰 단점은 '지역적'이라는 점이다. 즉 매일같이 붙어살다가도 이사하면 관계가 끊어지는 것이다. 이처럼 이사하면 끊어지는 만남은 네트워킹이라고 볼 수 없다. 동네에서 아이들 때문에 처음 만났다 해도 네트워킹이 가능한 만남으로 만들어야 한다. 물론 친하게 지내다 누군가 이사 가게 되면 예전과 같이 매일매일 볼 수는 없는 노릇이지만, 거리가 멀어지더라도 관계를 유지하려고 노력해서 그 사람과의 인연을 잘 이어가야 한다.

꿈을 후원해줄 사람에게
투자하라

사람들이 네트워킹을 하는 이유는 자신이 갖지 못한 장점을 가지고 있는 사람을 내 옆에 둠으로써 그 사람에게 적절히 도움을 받기 위해서다. 네트워킹이 가능하려면 도움을 주고받는 관계를 만들 거리에 있어야 한다. 기자들을 보자. 그들이 아무리 많은 CEO를 만나고 정치인을 만난다 하더라도 사적인 부탁을 할 수 있는 관계는 아니다. 수없이 많은 사람을 만나고, 명함을 수백 수천 장 가지고 있지만 그 기자가 직접적으로 어떤 도움을 받을 수 있는 사람은 얼마 안 된다. 이처럼 관계적으로 먼 거리에 있는 사람은 진정한 인적 네트워킹 속에 포함시킬 수 없다.

수백 장의 명함을 갖고 있어도 내게 도움이 될 사람은 50명 정도밖에 안 된다고 할 때, 그 50명은 어떤 사람들일까? 그들은 바로 내가 시간과 돈을 투자한 사람들이다. 시간 내서 같이 식사했고 내가 계산했기 때문에 그 사람과 관계가 네트워킹의 장점이 발휘되는 선 안으로 들어오는 것이다.

현재 당신의 네트워킹이 쓸 만한지 알아보려면 우선 1m 간격 안에 있는 인맥을 써보면 된다. 그 1m 간격 안에 있는 사람들이 늘 만나는 같은 동이나 같은 단지 안에 사는, 아이가 같은 학교에 다니는 주원, 승훈 엄마인가? 그들은 결국 당신과 똑같은 사람들이다. 매일 만

나서 같은 생각을 하고 같은 결론을 내리던 사람들. 그렇다면 네트워킹을 제대로 하지 못하는 것이다. 그들하고만 만난다면, 혼자 생각하고 혼자 지내는 것과 다를 바 없다.

지금이라도 내 네트워킹에 들어올 수 있는 사람에게 전화하고 만나서 이야기도 나누고 이메일도 보내는 등 투자를 시작하면 어느새 서로 부탁이 가능한 선 안의 인원이 점점 늘어갈 것이다.

LOVE

잘 먹이고 잘 입히고 깨끗한 곳에 머물게 하는 것이 아내의 역할은 아니다. 가족들이 자신의 가치를 최대한으로 발휘할 수 있도록 이끌어주는 CEO. 그것이 바로 아내의 진정한 역할이다.

나의 소중한
사람들과
꿈의 날개를
나눠 달자

5

...

아내와 남편,
서로의 꿈을 향한 우정의 파트너

행복한 부부의 가치는 10억이 넘는다

남자 후배가 결혼한다고 하자 다들 "뭐 하는 여자야?" 하고 묻는다. '초등학교 교사'라는 말에 "야, 좋겠다. 방학 있지, 정년 때까지 편하게 일할 수 있지, 돈 되지…. 부럽다, 부러워" 하며 부러움에 감탄사를 연발한다. 원래 한국 남자들은 아내가 돈 벌어오는 것을 그다지 좋아하지 않았다. 그런데 IMF 외환위기 이후 경제환경과 고용 패러다임이 변하면서 남자들도 여자들이 돈 버는 것을 관용하는 단계를 넘어 환영하는 세태가 되었다. 그래서 남자들의 로망은 '셔터맨'이다. 아내가 약국이든 미용실이든 운영하면 아침에 가서 셔터 열어주고, 밤에 셔터 닫아주는 것이다. 또 결혼 0순위 신붓감은 예쁜 초등학교 여교사, 그다음은 못생긴 초등학교 여교사, 그다음은 이혼한 초등학교 여교사라는 우스갯소리까지 심심치 않게 떠돈다.

남자들의 이런 심리변화는 혼자서 감당하기 어려운 거센 사회환경 때문이다. 그래서 쥐꼬리만 한 월급이라도 귀신처럼 불려내는 재무담당형 아내, 똑 소리 나게 일도 잘하고 돈도 잘 버는 커리어우먼형 아내, 남편의 커리어 개발에 적극적인 평강공주형 아내가 남자들이 원하는 아내 유형이라고 한다.

남편에게 필요한 건
이해와 위로

결혼 후에도 계속 직장생활을 하고 싶어 한 친구가 있었다. 결혼하면서 남편이 반대하여 직장을 그만두었는데, 요즘은 남편이 자꾸 일을 해보라고 압력을 준다는 것이다.

"미경아, 우습지 않니? 내가 일하겠다고 할 때는 그렇게 반대하더니만, 이제 와서 나더러 나가서 돈 벌어오라신다. 결혼해서 직장문제로 그렇게 싸웠던 거 생각하면 내가 분하고 얄미워서 나가 돈 벌어오고 싶겠어? 우리 남편 왜 저러는 거냐?"

가장의 권위라고 볼 수 있는 돈벌이를 아내에게 함께하자고 손을 내미는 데에는 또 다른 이유가 있다. 여자들이 폐경기를 전후해서 '내가 뭐하고 사나?' '내가 인생을 이렇게 살아도 되나?' 하는 우울증을 겪듯이 남자들도 중년 우울증을 겪는다. 인생이 쓸쓸하고 공허하다고 생각하는 것이다.

'지금껏 내가 뭘 하고 살았나. 내가 잘 사는 걸까? 살면서 해놓은 거 하나 없는데, 매일매일 기계처럼 돌아가기만 하고. 그렇다고 돈도 별로 모아놓은 것도 없고…' 같은 고민으로 회사일은 예전처럼 바쁜데도 본인은 불안과 공허를 동시에 경험하게 된다. 과거보다 은퇴 시기가 빨라진 것도 크게 작용하지만 남자가 마흔 살이 넘으면 여성 호르몬이 분비되기 때문이라는 이론도 있다.

남편의 사정을 조금 깊게 들여다보자. 회사에서는 젊은 후배들이 자꾸 치고 올라오고, 영어 실력이나 특이한 기술도 부족한 상황에서 자꾸만 고립되는 기분도 든다. 젊은 사람들끼리 모이니 정서적으로 왕따가 된 듯한 분위기도 감지한다. 쓸쓸한 마음에 술 한 잔 하고 싶어도 함께 마실 사람은 점점 줄어들고, 술을 마셔도 체력이 하루하루 다르니 몸만 힘들다. 게다가 나이 탓인지 때때로 필름까지 끊어지는 바람에 부하들이 슬슬 피하는 기색까지 보인다.

가정에서도 사정은 마찬가지다. 일찍 들어와 봤자 자식들은 아버지와 이야기하기 싫어하고 자신도 하도 오랜 세월 대화를 나누지 않다 보니 어떻게 해야 할지 잘 모른다. 아내는 자신이 있든 없든 엄청 바쁘게 잘 사는 것 같다.

상황이 이쯤 되니 40대 남자들이 고독해지고 쓸쓸해질 수밖에 없다. 자꾸 누군가와 대화하고 싶어지고 어디론가 홀쩍 떠나고 싶어진다. 그런데 남편이 혼자 홀쩍 여행이라도 가고 싶다고 말하면 아내들은 대개 '웃기네' 한다. "만날 새벽에 나가서 한밤중에 들어오는 사람이 여행은 무슨 여행이냐, 돈도 많다, 무슨 돈으로 여행갈 거냐?" 등 좋은 소리를 절대 해주지 않는다.

아이러니하게도 직장동료나 친구들은 이런 말을 하면 이해해준다. "내가 봐도 가야 할 것 같아. 이러고 그냥 있다가는 큰일 나겠어. 마음도 다스릴 겸 일주일 정도 혼자 떠나서 홀홀 다 털어버리고 와." "부장님, 정말 혼자 여행 한번 다녀오세요. 요즘 부장님 스트레스 너무 많이 받으시는 거 같아요. 사람 속도 한 번씩 환기시켜줘야 한대요"라고 이야기해준다. 물론 그렇게 말한다고 해서 남편이 진짜 혼자서 여행을 갈 수 있는 것은 아니다. 그래도 그런 말을 들으면 엄청 위로가 된다. 남자에게 필요한 것은 바로 이런 이해와 위로다.

남편을 행복하게
나이 들게 하자

남자가 45세 전후가 되면 감수성이 예민해지면서 자살할 확률도 높고, 바람피울 확률도 가장 높다. 남자가 45세 전후에 바람을 피우는 것은 기운으로가 아니라 정서로 피우는 것이다.

자살이 나을까, 바람이 나을까? 죽이고 싶을 만큼 미워도 한편 내 남편이 아닌 한 인간으로 멀찌감치 떨어뜨려놓고 보면 그 나름대로 측은한 마음도 생긴다. 남편을 보듬고 평생 용기를 주어야 할 사람이 있다면 그건 옆집 아줌마가 아니라 바로 아내인 나다.

일반적으로 남자가 자신을 잃어갈 때 몇 가지 증상이 있다. 이런 증상이 나타나는 남편은 아내의 도움이 필요하다.

첫째, 아내가 무서워진다. 아내가 웃으면서 보약을 해주는데 고마움보다 두려움이 앞선다.

둘째, 퇴근하는 길에 갑자기 드라이브가 하고 싶다. 가슴에 있는 것을 훌훌 털어내고 싶어 마구 달리다 보니 눈에서 눈물이 한 줄기 흘러내린다. 이런 현상이 한 달에 한 번 이상 일어난다면 심각한 편이다.

셋째, 어느 날 문득 돌아가신 아버지가 몹시 보고 싶다.

남편에게 이런 기분이 드는지 은근히 한 번 물어봐라. 아니면 잘 살펴서 이런 증상이 보이면 안아주고 다독거려주어야 한다. 그리고 아내가 나서야 한다. 40대를 잘 보내야 50대, 60대를 멋지게 보낼 수 있다. 남편의 50대, 60대가 멋있어야 아내의 삶도 멋있어진다.

평강공주처럼
남편의 꿈에 투자하라

"남편은 여자하기 나름이에요"라는 유명한 광고 문구대로 좋은 남편, 사랑받는 남편, 존경받는 남편, 출세하는 남편은 정말 아내하기 나름인 것 같다.

내가 사는 동네에 3년 전에 개업한 한의원이 있는데, 우리 식구들은 그 한의원을 '평강공주 한의원'이라고 한다. 막내 출산 후 요통이 심해 다니면서 알게 된 그 한의원의 사연 때문이다.

가끔 한의사 부인이 나와 환자들한테 "좀 나아지셨어요?" "오늘은 좀 어떠세요?" "제가 원장님한테 이야기해서 좋은 약재 넣으라고 할 테니까 걱정 마세요"라며 살갑게 인사를 건네는 모습을 보았다. 처음에는 '남편 잘 만나서 고생 모르는 여자'이겠거니 생각했다. 그런데 침을 맞는 동안 그분과 이야기를 나누다 알게 된 사실은 뜻밖이었다.

한의원 원장은 한의사를 하기 전에 일류 대기업에 다녔다. 부인은 남편이 반듯한 사람으로 보여 청혼을 받자마자 바로 승낙했다.

"친정아버지가 술과 사람을 좋아하셔서 그런 게 정말 싫었거든요. 선비 같은 스타일이 이상형이었고, 제가 결혼할 때는 '삼성맨'이라면 일등신랑감이었어요. 다들 시집 잘 간다고 부러워했죠. 저도 대기업 다니면 안정적일 거라고 생각했고요. 근데 세상이 바뀌더라고요."

살면서 보니 이 남자는 점잖은 수준을 넘어 소극적이고 수동적이며 어떨 때는 소심하기까지 했다. 선비가 아니라 양갓집 규수 같은 남자였던 것이다. 부인도 타고나길 활달한 성격이 아니었는데 남편이 얌전만 떨고 있으니 자신도 모르게 성격이 외향적으로 변했다.

"시간이 지날수록 경쟁이 심한 기업에서 도무지 남편의 미래가 보이지 않더라고요. 사람이 변하기 어려운 성향이라는 것이 있잖아요. 남편이 명퇴라도 해봐요. 우리 가족은 뭘 먹고 살아요? 애들은 점점 커 가는데 손 놓고 있을 일이 아니더라고요. 그래서 제가 동네에서 작은 찜닭 식당을 시작했어요."

그렇게 시작한 식당이 아주 잘 됐고 돈을 꽤 모았다. 하지만 고생이 이만저만이 아니었다. 낮 시간에는 살림하고 저녁 시간에는 장사를 했기 때문에 정말 힘들었다.

"남편이 가끔 퇴근하고 가게에 들러 이것저것 도와주었는데 그 꼴이 더 보기 싫었어요. 저러다가 가게 부사장 되겠다고 하는 게 아닌가 싶기도 했고요. 그래도 남편이 조직생활에 안 맞는 것 같으니까 뭔가 진로 변경이 필요하다는 생각은 했어요. 하루는 대화할 분위기를 만들어놓고 물었어요. '당신이 가장 하고 싶은 게 뭐야?' 하고요. 어렵게 입을 떼더니 '한의학을 공부하고 싶다'고 하더라고요. 원래부터 그게 꿈이었는데 가정 꾸리고, 애들 커가고 하니까 회사 그만두고 다시 공부하겠다고 할 수 없었다고 해요. 그러고 보니까 한의학 책을 많이 사다 읽던 것이 떠오르더라고요. '남편한테 너무 무심했구나' 싶어 미안해지더라고요. 한의사 되기가 쉬운가요? 그래도 '남편이 하고 싶은 걸' 할 수 있게 해줘야겠다고 마음먹었어요. 그리고 남편이 꿈을 이루면 전 의사 사모님 되는 거잖아요. 투자할 만한 일이었죠."

그녀는 바로 남편에게 사표 내게 하고 수능부터 시작해 꼬박 8년을 남편한테 투자했다. 살림하고 애들과 남편까지 뒷바라지하며 가게 운영까지, 무척 힘들었지만 남편이 꿈을 이루게 하겠다고 꾹 참았다.

그리고 드디어 남편은 한의사가 되어 이제 잘나가는 한의원 원장이 되었고, 자신은 식당을 경영했던 경험을 살려 한의원 경영을 맡았다. 지금은 다른 한의사도 고용해 한방 다이어트 클리닉까지 차려서 실장님이 되었다. 그녀가 투자를 제대로 한 것이다.

그 사연을 듣고 '바보 온달'을 '온달 장군'으로 거듭나게 한 평강 공주 이야기가 생각나서 평강공주 한의원이라고 하게 된 것이다.

남편의 능력을 업그레이드하라

아내들만 꿈이 있었던 것은 아니다. 남편들도 꿈이 있었을 것이다. 아내들만 꿈을 미루고 현실에 매달려 사는 것이 아니다. 남편들도 마찬가지다. 사랑하는 아내에게 돈도 많이 벌어다주고 애들이랑 잘 놀아주고 사회적으로도 자신의 꿈을 이루어가고 싶었을 것이다. 아내들이 집안 살림에, 애들 뒷바라지에, 남편 내조에 여력이 없어 자신의 꿈을 잠시 보류해둔 것처럼, 남편들은 생활비며 아이들 학비를 버느라 자신의 꿈은 아예 접었을 수도 있다.

혹시 남편에게 너무 가혹하게 생활의 부담을 주고 있는 것은 아닌가 되돌아보자. 나는 개인적으로 '기러기아빠'를 이해할 수 없다. 우리나라 교육현실이 못마땅한 거야 이 땅의 학부모라면 누구나 느끼는 문제다. 하지만 아이들의 미래를 위한다는 목적으로 가족끼리 생이별을 하고 아빠 한 사람을 고독하게 만든다는 것은 이해되지 않는다. 기러기아빠의 문제점은 이미 여기저기서 나오고 있다.

세계 어디다 내놓아도 뒤지지 않을 교육열, 그렇지만 자녀 교육에 대한 부모의 정성이 건강하지 못하고 왜곡되면 자녀도 부모도 불행해진다. 뭐든지 지나치면 부족한 것보다 못한 법이다. 아니, 지나치지는 않더라도 자녀에게만 치우진 관심과 투자는 자녀가 뿌리 내리고 있는 가정을 행복에서 멀어지게 하는 원인이 될 수 있다. 왜냐하면 남편이나 아내가 소외되면 가정이 행복할 리가 없기 때문이다.

남편에게 투자하는 아내는 행복을 기다리는 여자가 아니라 행복을 스스로 만들어갈 줄 아는 여자다.

그렇다면 남편에게 어떻게 투자하는 것이 효과적이고 긍정적인 결과를 이끌어낼까? 남편에게 내적 가치를 높일 수 있는 기회를 주자.

드레스셔츠가 날이 설 만큼 잘 다려서 입히고, 좋은 옷을 멋지게 입히고, 몸에 좋은 음식을 맛있게 해서 먹이는 식의 투자는 이제 한물 갔다. 잘 먹여서 건강관리하고 폼 나게 입히는 것으로 만족하는 시대가 아니다. 이제는 남편의 몸이 아니라 머리까지 관리해야 한다.

한 부서를 예로 들어보자. 컵을 만드는 부서였는데, 실용적인 컵을 만들어 지금까지 고객에게 인기가 좋았다. 하지만 얼마 전부터 고객이 실용적인 컵에 만족하지 않고 디자인까지 좋은 컵을 찾기 시작했다. 변해야 할 때가 온 것이다. 현재의 매출에 만족하고, 시장의 니즈를 캐치하지 못하는 회사는 경쟁에서 도태될 것이다. 하지만 지속적으로 발전할 회사는 변해야 하는 이유를 재빠르게 감지하고 그 부서에 디자인 담당 전문가를 투입한다.

개인에게도 이러한 원칙을 적용할 수 있다. 남편을 객관적으로 한번 관찰해보자. 혹시 대학시절이나 사회초년생일 때 공부한 것으로 10년이 지난 현재까지 벌어먹고 있지 않은가?

객관적으로 보았을 때 매력적인 인재라 할 수 있는가? 권위적이지, 배는 나왔지, 취미는 폭탄주 마시는 것밖에 없지, 내 남편이 경쟁력 없고 매력 없는 사람이면 좋겠다는 아내는 없을 것이다. 그러니까 투자해야 한다. 만고의 진리, '세상에 공짜는 없다'를 언제나 잊지 말자.

시기를 놓치면 투자하고 싶어도 못한다. 이제 보충해줘야 한다. 10년도 넘는 자료를 계속 우리고 우리면서 버티다가는 서서히 뒤처질 수밖에 없다. 회사도 살아남기 위해 투자하듯 개인도 그렇게 해야 한다. 남편이 스스로 못 하면 아내가 멍석을 깔아주어야 한다.

그런데 현실을 보면 많은 아내가 남편에게 내적인 가치를 채워갈 기회를 주지 못한다. 왜 그럴까? 첫째, 왜 외국어를 배우고 왜 MBA 과정을 공부해야 하는지, 왜 자기계발을 해야 하는지 동기 자체를 모른다. 남편 인생에 대해 대화해보지 않았기 때문이다.

둘째, 자기계발이 필요하다는 사실을 안다 하더라도 "회사에서 기회를 줘야지 왜 우리 돈으로 배워야 해?"라고 생각하기 때문에 투자하지 않는다. 남편을 회사의 노동자로만 인식하고 가정의 엔진이라고는 인식하지 못하기 때문이다.

남편에게 결혼기념일이나 생일을 기억하라는 투정만 부리지 말고, 자기계발 좀 하라고 닦달하자. 친구가 입은 명품 원피스 안 사준다고 입 내밀지 말고 매일 비슷한 멤버끼리 술 마시는 시간에 책 좀 사다 읽고 학원에 등록해서 공부 좀 하라고 잔소리하자. 후배들이 실력은 있지만 개념 없고 싸가지 없다고 불평하는 남편에게 그런 후배들보다 남편이 훨씬 낫다고 격려하며 IT강좌를 신청해주고 함께 젊은이문화를 얘기하는 센스를 발휘하자.

한마디로 남편이 다니는 회사에서 남편을 매력적인 인력으로 인정하게끔 만들자. 몇 가지 구체적인 방법을 소개하면 이렇다.

남편 회사의 상황을 제대로 알자

어떤 남편은 일본계 회사에 다니다보니 일본어를 잘했다. 그래서 지금까지 별 문제 없이 능력을 발휘하고 있지만 그다지 두각을 나타내지는 못했고, 따라서 승진도 빠른 편이 아니었다.

회사가 방향을 약간 틀어 중국이나 다른 나라로 시선을 돌리면 일본말밖에 못하는 남편은 어려워질 것이라 판단한 아내는 3년 전부터 남편을 중국어 학원에 다니게 해서 말하고 듣기는 물론 쓰기도 가능한 수준이 되었다. 드디어 회사에서 지난해 가을에 중국 진출을 모색할 때 남편은 회사의 새로운 비전에 주연을 맡을 기회를 얻었다. 그 결과 회사에서 바라는 이상의 조건으로 중국 진출이 가능했다. 그리고 2단계 승진이라는 보상이 뒤따랐다. 그녀는 내년에는 남편이 모 대학

최고경영자 과정에 등록하게 할 것이라며, 그 과정이 끝나면 자신이 대학원에 갈 것이라고 했다.

이 모든 것은 그녀가 평소에 남편과 대화를 많이 함으로써 남편의 상황을 제대로 알고 있었기에 가능한 일이었다. 그녀가 남편 회사의 특성도 모르고 남편이 하는 일도 잘 몰랐다면, 그래서 남편에게 자극을 주지 않았다면 몇 년 뒤 부장 승진이나 겨우 하고 곧 명퇴했을지도 모를 남편이 열심히 내적 가치를 높인 덕분에 임원이 되었다.

존경받는 남자가 되게 하자

남편을 위해, 가족을 위해, 자기 자신을 위해, 아내들은 평강공주가 되어야 한다. 남편이 비록 옛날에는 똑똑했지만 시대 흐름에 따라 바보 온달이 되고 있는지도 모른다. 37세까지는 잘나가는 인재였지만, 시대 흐름이 바뀌면서 영어가 필수로 강조되고 외국어가 강조되면서 바보가 되고 있을지도 모른다. 그 옆에 있는 아내까지 바보 온달이면 남편의 경쟁력은 곧 사라지고 말 것이다.

적극적으로 남편을 자극하자. 경제적으로 무리가 따른다면, 아내가 그만큼 돈을 벌어서라도 배울 기회를 주자. 자녀에게 배울 기회를 주듯 남편에게도 기회를 주자. 정확하게 말하면 이것이 자식에게 투자하는 것보다 훨씬 직접적인 투자다. 이것은 결코 남편을 무시하는 처사가 아니다. 남편을 존경하기 위한 행동임을 잊지 말자.

아이에게 쏟는 교육열을 남편에게 뿜자

힘들게 벌거나 생활비 아껴서 학원을 보냈는데 남편이 제대로 하지 않는다면 소용없을 뿐 아니라 돈만 버리는 셈이다. 아이만 체크할 게 아니라 남편도 학원출결을 체크하자. 물론 아이에게 하는 것과는 다른 버전으로 남편의 기분까지 고려하면서 관리해야 한다. 지혜로운 여우가 되는 것이다. 그렇게 해서 학원을 꼬박꼬박 잘 다니게 하면 나중에 남편에게 고맙다는 말을 듣는다.

지혜로운 여자들은 남편과 함께 공부하고, 집 안을 공부하는 분위기로 만든다. 예를 들어 남편이 중국어를 배운다면 텔레비전을 틀어도 중국 방송을 트는 것이다.

우리나라 엄마들의 교육열은 이미 유명하다. 그렇지만 이제 다르게 살자. 아이에게만 몰두해서 가르치려고 하지 말자. 가정의 엔진인 남편에게도 투자하자. 아이에게는 숨통 막힐 만큼 공부해야 한다고 볶아대면서 남편은 배운 것을 빼먹기만 하게 방치해서는 안 된다. 그렇게 빼먹기만 하니 남편의 노동력이 노쇠해가는 것이다. 그것은 곧 가정의 힘이 노쇠해가는 것과 같다.

남편을 나의
'키다리 아저씨'로 키우자

나와 중학교 동창인 현숙과 용미는 대학시절만 빼고는 가장 가까운 친구로 지냈다. 현숙은 서울에서 대학을 다녔고 용미는 고향인 청주에서 대학을 다녔기 때문이다. 그런데 용미가 결혼 후 서울로 올라오자 두 사람은 다시 자주 만나며 실질적인 단짝관계를 회복했다.

둘은 결혼도 몇 개월 앞서거니 뒤서거니 했다. 그녀들의 우정은 남편들도 끌어들였고, 네 사람은 친구처럼 가깝게 지냈다. 각자 사는 동네도 버스로 네 정거장밖에 안 떨어져 있어 가끔 함께 문화활동도 하고 여행도 갔다. 나이도 비슷하고 취향도 특별히 다른 사람이 없어서 잘 어울릴 수 있었다.

그런데 현숙이가 용미를 답답하게 여기는 부분이 있었다. 자신은 부금에다 적금까지 불입하면서 열심히 돈을 모으는데, 용미는 남편의 학원비와 자신의 학원비로 적지 않은 돈을 쓰고 있었다. 당연히 좋은 저축상품이나 주택부금을 같이 들자고 해도 거절했다. 용미의 남편은 러시아 어를 배웠고 나중에는 MBA 과정도 밟았다. 물론 용미는 남편 공부가 끝날 무렵에 학원에 다니기 시작했는데 놀랍게도 대입을 준비하는 입시학원이었다. 용미의 목표는 약대 진학이었다.

"그땐 어려서 대학에서 무슨 공부를 해야 할지 몰랐어. 막연히 영문과가 인기과라서 갔지. 하지만 대학에 다니면서도, 회사에 다니면서도 느낀 것인데 나랑 맞지 않아. 그래서 무슨 공부를 하면 내가 평생 그것을 하며 살 수 있을까 고민했어. 이제 점점 수명이 길어지고 있잖아."

용미의 다부진 꿈에 현숙은 미안하지만 어려울 것이라고 생각했다. 영문과에 다닌 그녀가 나이 32세에 자연계열인 약대에 입학할 수 있으리라고는 생각하지 않았다. 그런데 용미는 명문대 약대에 합격했다. 그즈음 현숙은 분양받은 아파트로 이사했다. 두 친구의 생활은 조금씩 달라졌고 만남도 자연히 줄어들었다. 비슷비슷했던 친구였는데 현숙은 158㎡짜리 아파트를 장만했고 용미는 여전히 79.3㎡ 아파트에 전세를 살았다.

그로부터 7년이 지난 뒤 용미는 신도시에서 약사를 두 명이나 고용한 꽤 큰 약국을 운영하고 있고, 남편은 대기업 임원이 되었다. 그 회사에서도 손에 꼽히는 고속승진이었다. 앞으로 CEO도 가능하다는 평을 받고 있다. 그리고 현숙은 용미의 약국에서 처방전을 입력하고 간단한 약을 파는 직원으로 일하고 있다. 아이가 중학생이 된 뒤 부쩍 많아진 시간을 활용하기 위해서라고 하지만 약국에서 받아가는 월급이 생활하는 데 적지 않은 몫을 하는 형편이다.

현숙의 158㎡짜리 아파트는 2년 뒤 185㎡로 커졌지만 현재는 92㎡짜리로 줄었다. 그것도 전세다. 남편이 다니던 회사가 구조조정을 단행하면서 남편은 한창 일할 나이에 명예퇴직을 했고, 퇴직금으로 시작한 사업이 잘못되어 아파트까지 까먹은 것이다.

남편의 성공이 아내의 성공으로
선순환하게 하라

남편이 아내가 꿈을 이루려는 노력을 인정하는 데서 그치는 게 아니라 적극적인 후원자가 되면 그 아내 역시 훨씬 쉽게 꿈을 이룰 수 있다. 왕자를 기다리는 신데렐라는 거부하더라도 자신의 꿈을 펼쳐나갈 수 있도록 지원해주는 숨은 후원자인 키다리아저씨를 여성들은 기대한다.

그러나 나는 키다리아저씨를 기다리지만 말고 직접 만들라고 하고 싶다. 현숙은 '집 장만'에 투자했고 용미는 '남편의 미래'와 '자신의 꿈'에 투자했다. 살아가다 보면 어떤 일을 만나게 될지 모른다. 눈에 보이는 유형의 재산은 당장에는 훨씬 가치가 나갈지 몰라도 언제든 잃을 수 있다. 하지만 지식을 비롯한 능력은 쌓아가기는 어렵지만 일단 쌓인 뒤에는 집처럼 없어질 수 있는 것이 아니다.

현숙은 쉽게 결과가 나오지 않을 것 같은 용미의 인생 방정식을 답답해했지만, 용미는 어떤 특수상황이 생겨도 사라지지 않을 남편의 능력을 키우는 방정식을 택했다. 그 결과 그녀 남편은 여기저기서 탐을 내는 인력이 되었다. 당연히 몸값도 올라갔다. 현숙이 158m²짜리 아파트를 장만했을 때 용미와 그 남편은 무척 소박한 통장을 갖고 있었지만 이젠 사정이 다르다. 제대로 잘 투자한 결과 두 사람은 '억억' 소리 나는 돈을 벌고 있다.

남편에게 투자해서 남편의 몸값을 올려놓은 용미는 다시 대학을 다닐 때도, 약국을 개업할 때도 남편의 후원을 받았다. 고마워하는 용미에게 남편이 말했다. "내가 당신의 꿈을 후원할 힘이 있는 것은 바로 당신이 내게 과감하게 투자했기 때문이야." 상대의 꿈에 기대 사는 부부보다 꿈을 후원하는 부부가 결국은 무한 스피드 경쟁시대에 최후의 승자가 된다.

서로의 성장이
시너지 효과를 내게 하라

남편을 지루셔의 후원자인 키
다리아저씨 존 스미스처럼 만들기 위해 먼저 준비해야 할 사람은 바로
나 자신이다.

신혼 초에는 남편이나 아내의 미래 모습이나 상태를 예측할 수
없다. 남편이 40대 후반에 잘나가는 대기업 임원이 되어 있을지, 일찌
감치 명퇴당해 집에서 하릴 없이 컴퓨터 바둑이나 두고 있을지 알 수
없다. 또 아내 역시 남편의 전문적 일에 대해서나 자신의 일에 대해 남
편과 얘기를 나누는 괜찮은 사람이 되어 있을지, 남편의 적은 월급에
목숨 건 채 바가지나 긁으며 아침드라마에 울고 웃는 40대가 되어 있
을지 알 수 없다. 결혼 초에는 아무도 모른다.

막 결혼한 부부의 미래 모습은 사실 서로서로 어떻게 하느냐에
달려 있다. 처음부터 키다리아저씨인 사람은 없다는 것이다.

아내는 자기 남편이 처음부터 잘난 사람이라고 생각한다. 그렇지
만 실제는 그렇지 않다. 세상에는 바보 같고 리더십도 없는 40대 후반
남자들이 너무 많다. 그들이 처음에는 키다리아저씨처럼 멋진 사람이
었는데 바뀐 것은 아니다. 그들은 처음부터 매력도 능력도 없었으며,
그렇게 되기 위한 노력도 하지 않았다.

그런데 살다보면 남편이 아니라 엉뚱한 곳에서 키다리아저씨가

꿈이 있는 아내는 늙지 않는다

손을 내밀기도 한다. 솔직히 말하면 그럴 때는 남편과 그 키다리아저씨를 바꾸고 싶기도 하다. 물론 우리는 소설이 아니라 현실에서 살고 있으니 바꾸면 안 된다. 왜냐하면 그 사람을 키다리아저씨로 만든 여자, 그의 아내가 있기 때문이다. 그들도 막 결혼한 27세 때는 반지하에서 시작했고 그 어려운 상황에서도 서로 키워주었기에 현재 그 남편이 다른 여자 눈에도 멋있어 보이는 키다리아저씨가 된 것이다. 다른 사람이 차려놓은 밥상을 넘보면 안 된다.

현재 남편이 키다리아저씨가 아닌 것에 불평불만만 늘어놓지 말고 직접 만들자. 그래서 남편이 멋진 키다리아저씨가 되면 그 대가는 내가 받는다. 어떻게 돌아올까? 밍크코트로 돌려받을 생각은 하지 말자. 누구누구 사모님이라는 명칭으로 돌려받을 생각도 하지 말자. 그것은 내가 지난날 꿈꾸었던 멋진 삶의 주인공 모습이 아니다. 남편을 키다리아저씨로 만든 다음, 자신의 꿈을 확실히 펼쳐나갈 힘으로 돌려받아야 한다. 자, 그렇다면 어떻게 해야 남편을 키다리아저씨로 만들 수 있을까?

남편의 상품가치를 높이자

남편이 사회적으로 아주 괜찮은 상품이 될 수 있도록 키워야 한다. 즉 남편이 사회에서 거래할 때 좋은 조건으로 거래할 수 있는 가치를 지니게 해야 한다. 그것은 끊임없이 자기계발을 할 때 가능해지므로 물질적 · 정신적으로 지원해야 한다.

월급의 일정 부분은 반드시 남편에게 투자한다. 영어도 배우고, MBA 과정도 밟게 하고, 자신의 상품가치를 높이는 다른 스킬을 배우거나 실천하는 데 사용하게 한다.

남편 월급을 몽땅 다 차지하고서 용돈만 겨우 주면 그 남편은 자기계발은커녕 사회적 네트워크도 잘 만들어놓지 못한다. 결국 정해진 만큼 돈을 버는 기계로 살다가 배불뚝이 아저씨가 된다. 아무도 동경하지 않고 어떤 여자도 가지려고 하지 않는 남자가 되는 것이다. 바람 피울 일 없다고 마음 편할 일이 아니다.

남편과 여유를 즐길 지혜를 갖추자

1년에 한 번쯤 함께 여행한다든지 몇 달에 한 번 공연을 본다든지 하는 여유를 즐기며 살아야 한다. 남편은 내공이 깊어지고 부드럽고 여유 있는 표정을 지을 것이다. 그럴 돈이 어디 있냐고 말하지 말자. 여유는 돈만 있다고 누릴 수 있는 것이 아니다. 적은 돈으로도 충분히 누릴 수 있을 뿐 아니라 더 중요한 것은 그러한 여유는 훨씬 더 풍요로운 미래의 여유를 보장한다는 것이다.

여유를 즐기는 것도 능력이라서 어느 한순간에 갑자기 발휘되는 것이 아니다. 평소에 조금씩 훈련해야 한다. 여유도 훈련된 사람만이 즐길 수 있는 것이다. 지금은 열심히 일만 하고 나중에 시간되고 돈 넉

넉할 때 여유를 즐기자는 말은 엉터리다.

가족과 대화할 줄 아는 남편으로 만들자

회사 동료나 학교 친구, 동호회 멤버 심지어 인터넷 사이트상에서 만난 사람과 나누는 대화보다 가족과 나누는 대화를 하찮게 여기는 남편들이 있다. 같은 종류의 아픔이나 주제에 대하여 대화하려고 남들에게는 기꺼이 시간을 내면서 가족과 하는 대화는 가치 없다고 생각하거나 세 끼 밥 먹는 것처럼 일상적인 것으로 치부한다. 밥이 얼마나 중요한 것인지 따질 필요도 없지만 가족과 나누는 대화는 밥보다 소중하다.

남편이 가족 대화에 흥미를 느끼고 나아가 대화의 가치를 인정할 수 있게 아내가 자리를 마련하고 노력하자.

자신이 어떤 사람이며 어떤 꿈을 갖고 있는지 남편에게 알리자

남편이 멋진 키다리아저씨이기를 바란다면, 남편의 생활을 알고 변화의 틀을 알아 남편이 끊임없이 자기계발을 할 수 있도록 투자하게 밀어주는 아내가 되어야 한다. 반대로 남편의 생활에 대한 이해는 전혀 없이 그저 남편이 타오는 월급만 쓰는 아내가 된다면, 돈 버는 남편, 돈 쓰는 아내의 구도를 형성하게 된다.

그러면 나중에 자신만의 일을 하고 싶거나 꿈을 펼쳐보고 싶다고 해도 "집에서 살림이나 잘해"라는 소리를 듣는다. '살림이나 해' 라는 소리 대신 "요즘 여자들도 자기 일을 많이 하지. 그리고 당신도 꿈이 있었어. 하지만 그 꿈을 이루기 위한 노력을 할 수 없는 상황이었어. 힘들겠지만 이제부터라도 한번 멋지게 해봐. 내가 도와줄게"라는 말을 들으려면 남편을 아내의 꿈을 기억하고 지원할 수 있는 사람으로 만들어야 한다.

행복을 이야기하는 전문가들이 입을 모아 하는 말이 있다. 이 세상에서 가장 행복한 부부는 바로 '서로의 꿈을 알고 그것을 후원할 줄 아는 부부' 다.

가끔 그를 위해
낯선 여자가 되어준다

정도의 차이는 있지만 아내는 대부분 남편에게 기대고 싶어 하고 보호받고 싶어 한다. 시대가 바뀌어서 안 그럴 것 같지만 아주 잘나가는 여자들도 때로는 제 남자에게 리드받고 싶어 한다. 여자들이 가장 선망하는 결혼 상대가 '존경할 수 있는 남자' 라는 것도 이를 반영한 것이다. 남자 역시 마찬가지다. 화통하고 씩씩한 여자를 좋아하기는 하지만 그건 동성친구 같은 감정이고, 왠지 자기가 곁에 있어야 할 것 같고 지켜주고 싶은 감정이 드는 여자를 사랑하게 된다. 자기 여자만큼은 자기를 잘난 사람으로 여겨주기를 바라는 것이다. 그런데 한편으로는 어머니 같은 여성을 소망한다. 여자들은 자신보다 나은 남자, 자신을 맡겨도 될 것 같은 남자를 좋아하는 일관성을 유지하는데, 남자들은 이중적인 여성상(보호해줘야 할 여성상과 보호받을 수 있는 여성상)을 갖고 있다. 나도 '남자는 크나 작으나 다 어린애다' 라는 어른들 말이 살수록 실감난다.

어쨌거나 남자들은 어릴 때부터 강해야 한다고 교육받고, 또 자기 여자에게만큼은 슈퍼맨이고 싶어 하는데, 요즘 세상살이가 어디 그런가. 남자들이 구석에 가서 아무도 모르게 울거나 소리 치고 싶게 만드는 일이 한두 가지가 아닌 것이 현실이다. 그리고 사춘기 청소년 때처럼 뭘 어찌해야 좋을지 모를 일도 일어난다. 그런데도 남자들은 자기 여자, 즉 애인이나 아내에게는 자신의 그런 상태를 알리고 싶어 하지 않는다.

잘 아는 후배 커플이 있는데, 남자 후배가 회사에서의 어려움을 아내에게는 말하지 않고 같은 업종에 있는 동창 여자친구에게는 털어놓고 상의했다. 나중에 그 사실을 아내가 알게 되어 거의 이혼 직전까지 간 적이 있다. 그 남자 후배가 내게도 고민을 털어놓아 나도 알고 있었고, 아내와 얘기하라는 말을 해줬는데, 이미 문제가 터져버린 뒤였다. 남편이 사직서를 품고 있다는 것을 다른 여자는 알고 자신은 몰랐다는 사실을 그 여자 후배는 용납하지 못했다.

그런데 우리가 꼭 알아야 하는 남자들의 속성 가운데 하나가 바로 이것이다. 자기 여자한테는 못난 모습, 힘들어하는 모습을 보여주지 않으려고 한다는 것이다. 말해도 모르기 때문이라는 부정적인 이유를 대는 남자들도 있지만 대부분 자기 여자한테만큼은 멋있게 보이고 싶고 자기 여자를 마음고생시키고 싶지 않아서다. 유치하긴 하지만 기특한 면이지 않은가. 그렇다고 아내가 "남편, 네가 원하는 것이니 나는 모른 체할게. 혼자 많이 고민해서 잘 해결해"라고 해버리면 남자는 진짜 힘들어한다.

카운슬링은 해주되 컨설팅은 하지 마라

남편을 항상 잘 살펴서 자연스럽게 남편의 상담자가 되는 현명한 아내가 되어야 한다. 남편은 아내 신경 안쓰게 하고 싶어서였지만, 계속해서 아내에게 중요한 문제를 얘기하지 못하고 의논하지 못하면 관계가 나빠질 수 있다. 그 대신 그 중요한 문제를 얘기한 사람과 공유하는 정서가 생길 수도 있다. 여자 후배가 그런 걱정으로 남편에게 서운해 하고 화를 낸 것이다.

남편의 카운슬러가 되어주되 은근슬쩍 자연스럽게 상담하면 어떨까. 한 번 시작하는 게 어렵지 일단 시작하고 나면 의외로 잘된다. 먼저 자신이 고민되거나 생각 중인 문제를 남편에게 의논하면 의외로 쉽게 풀린다. 평소에 집안일이나 아이들 문제를 얘기할 때처럼 하소연

하거나 남편 탓하는 식으로 하지 말고 학교 다닐 때 고민을 털어놓는 친한 친구에게 하듯 폼 나게 하는 것이다.

남편이 어떤 의견을 내놓으면 그 조언이 아주 적절하다고 하면 된다. 실제로 뻔한 의견을 말했다 하더라도 자신은 몰랐다는 듯이 "우와~ 대단하네" 하고 감탄사까지 날려주면 효과 만점이다. 그러면 남편은 아내의 직장일이나 생활에 관심과 애정을 가지려고 노력한다. 아내가 필요로 할 때 멋진 조언을 해주고 싶기 때문이다. 그뿐만 아니라 자신의 직장일이나 고민도 아내와 함께 얘기하고 싶어 한다.

이렇듯 먼저 마음을 털어놓고 자문을 구하는 과정에서 남편 이야기가 나오도록 슬쩍 유도하다보면 부부 사이에 대화도 많아지고 대화가 많아지면 그만큼 서로 이해하는 폭도 넓어진다.

아내로서 듣지 마라

여기서 반드시 기억해야 할 것은, 남편이 마음먹고 문제를 털어놓았을 때는 아내로서 듣지 말아야 한다는 점이다. 그러면 남편이 뻔히 다 아는, 그래서 고민 중인 대답밖에 못해준다. 남편에게 더 답답함을 느끼게 해서는 안 된다. 실제 그 문제가 아무리 가정사와 직접적인 관련이 있는 문제라 하더라도 남편의 상담자가 되었을 때에는 철저히 제3자로서 남편 얘기를 듣고 의견을 말해야 한다. 물론 쉽지는 않지만 길게 보면 오히려 그렇게 하는 것이 득이 된다.

가르치지 말고 공감하라

얘기를 듣고 함께 고민하되 혼자 결론까지 내서 남편에게 이렇게 하라, 저렇게 하라고 제시하지 말아야 한다. 그 결론이 남편이 보기에 좋다고 여겨져도 남자들의 속성상 아무 군더더기 감정 없이 따라오기는 힘들다. 뭐, 여자인 우리도 그런 점이 있지 않은가. 사실 고민을 이야기할 때에는 해결해주었으면 하는 바람보다 내 이야기를 들어주고 공감해주기를 바라는 것이 우리네 심리다. 남편 역시 남편의 말 속에 해답은 이미 있게 마련이니 카운슬러가 되어주되 컨설팅은 해주면 안 된다. 거기까지 함께 손잡고 가주고 결론은 자기 자신이 내리게 배려해야 한다.

그러면 남편은 혼자 있는 시간에 아내가 카운슬러가 되어 해준 말과 실제 아내로서 당신의 말, 마음속에서 했을 그 말까지 다 끄집어내서 열심히 고민하여 스스로 바람직한 결론을 낼 것이다.

그렇게 가끔은 아내라는 역할을 버리고 예쁘고 낯선 여인이 되어 남편의 카운슬러가 될 필요가 있다.

남편 학교 후배 가운데 교사와 결혼한 사람이 있다. 결혼 전부터 우리 집에도 놀러와 나와 친하게 지냈고 결혼 후에는 부부가 함께 우리를 따랐다. 그런데 어느 날 그 후배가 남편에게 짐짓 심각한 얼굴로 말하더라는 것이다.

"난 요즘 내가 다시 학생이 된 것 같습니다."

무슨 소리냐고 남편이 묻자 "교사 아내 좋다는 건 한 면만 본 얘기예요"라는 엉뚱한 대답을 했다.

얘기를 풀어내는 걸 종합해보니 사정이 이랬다. 후배 아내가 시간이 지날수록 남편을 마치 학생 대하듯 한다는 것이다. 밥을 먹을 때도 그렇고, 씻고 나왔을 때도 그렇고 심지어 잠자리에서도 "그렇게 하지 마세요. 이렇게 하세요. 알겠죠?" 이런 투로 말한다고 했다. 가장 못 견디는 상황은 부모님한테 갔을 때 어른 앞에서도 학생에게 하듯 가르치는 말투를 사용할 때라고 말하면서 그 후배는 "한두 번 만난 친구들은 나만 보면 놀려요. 선생님 말씀 잘 듣고 사냐고요"라고 덧붙였다.

직업이 교사이다 보니 자신도 모르게 가르치는 말투가 입에 배어 그렇겠지 실제 가르치려고 하는 것은 아닐 거라는 남편의 위로도 도움이 안 되었다.

"당연히 이해하려고 했죠. 직업 탓이겠지. 하지만 너무 심하잖아요. 게다가 가만 보니까 말투만 그런 게 아니라 뭐든지 가르치려고 해요. 자신이 하는 방법이 다 옳고 내가 하는 건 어설프대요. 뭐든지 자기가 시키는 대로 해야 말이 없어요."

세세한 내용까지야 모르니 어떤 부분에서 그 아내가 후배를 가르치려고 하는지 알 수 없었지만, 또한 정말 그 후배가 아내가 볼 때 가르칠 수밖에 없는 어설픈 짓을 하는지도 알 수 없었지만, 게다가 나 역시 남편을 가르쳐서라도 리모델링해야 한다고 주장하는 편이지만 그 아내는 분명 잘못하고 있었다.

애교의 기술을 활용하자

아무리 좋은 내용이고 남편이 들어야 하는 쓴 말이라 할지라도 가르치는 말투는 누구나 거부감을 느끼게 마련이다. 그러면 그것이 옳다고 하더라도 따르고 싶지 않은 게 인간의 심리다. 더군다나 아내와 남편의 관계 아닌가? 이럴 때 바로 흔히 말하는 여우짓을 해야 한다.

남편에게 요구할 것이 있을 때, 남편이 고쳐야 할 점이 있을 때 바로 대놓고 요구하거나 명령하지 말아야 한다. 그러한 요구를 하는 목적이 남편의 변화이지 남편의 기를 꺾거나 아내에게서 겉돌게 하고 싶은 것이 아니라면 말이다. 명령하지 않으면서 작은 것부터 천천히 하나하나 자기가 원하는 방향으로 끌어당겨야 한다. 아내의 절대무기인 애교를 활용해보자. 결혼한 지 오래돼서 까먹었다고? 징그럽고 민망하다고? 남자는 여자의 애교가 기술이라는 걸 알면서도 깜빡 넘어간다. 예를 들어 양말을 자꾸 뒤집어 벗는 남편이 있다고 하자.

"몇 번이나 말해야 해? 바로 벗어서 빨래통에 넣으랬잖아? 한국말 못 알아들어? 빨리 바로 해서 갖다놔요."

이렇게 말해서 효과가 있던가? 그러니까 몇 번이나 말해야 하는 것이다. 뒤집어서 아무렇게나 벗어놓은 양말을 발견하면 얼른 손에 뭔가를 들거나 깨끗한 걸레를 다시 빨더라도 손에 비누를 묻혀라. 그리고 아무렇지도 않은 척 태연하게 말하면 훨씬 낫다.

"어? 자기 양말 여기 있네. 내가 손에 뭐 묻어서 그러는데 자기가 뒤집어서 갖다줘."

일요일, 소파에 누워 개그 프로 보면서 낄낄거리느라 청소하는 당신을 모르는 체한다면? 혹은 컴퓨터 게임에 빠져 애들과 놀아주지도 않는다면? 콧소리 좀 섞어서 이렇게 말하면 된다.

"자기 좋아하는 콩국수 할 참이었는데 아유, 청소부터 하고 해야겠네. 아참, 영민이와 퍼즐 맞추기도 하기로 했지? 그거 다 하고 준비하려면 점심 좀 늦어지겠네. 그냥 건너뛸까?"

그러면 금세 일어나서 청소기를 돌리거나 아이를 안고 방으로 들어갈 것이다. 물론 사람에 따라 반응이 다를 수도 있지만, 간단한 예를 들어본 것이다. 어쨌든 부부 사이에 명령이 아니라 원하는 방향으로 끌어당길 수 있는 말투로 이야기하는 지혜는 행복한 결혼생활의 필수조건이다.

남편을 집에서 놀게 하라

몸이 아파 간만에 일찍 퇴근해 집에 온 아버지가 자기 아들을 몰라봤다는 웃지 못할 얘기가 있다. 남자애들이 클 때는 한 달에 5cm씩 꽉꽉 크는데 하도 바쁘게 살아 몇 달이 지나도록 애를 살펴볼 겨를이 없었던 것이다. 타의에 의해서이든 자의에 의해서이든 일중독은 가정을 소홀히 한 50대 남자들을 쓸쓸하게 만드는 가장 큰 원인이다. 젊을 때 밖에서 지낸 시간이 많을수록 비례하여 나이 들어 가족에게 소외된다. 며느리가 "어머니, 부침개 부친 거 어떻게 할까요?" 물어보면 시어머니는 "아버지께 갖다드려라" 그러신다. 그러나 안방에 가보면 시아버지가 안 계신다. "어머니, 아버님 안 계신데요?" 하고 할아버지 나가시는 거 봤냐고 물어보면 아무도 본 사람이 없다. 무관심하기 때문이다. 명절이나 생일처럼 가족이 많이 모이는 날이면 더더욱 아버지의 외로운 모습이 두드러진다. 한 번도 식구들과 제대로 놀이를 즐겨보지 못했기 때문이다. 가족도 아버지가 있으면 어색해 하고, 아버지도 어색해 한다.

아내는 아이들과 시간을 많이 보내면서 밀접하게 연결되는 반면, 남편은 사회활동이다 직장생활이다 해서 가족과 보내는 시간이 적게 마련이다.

남편이 아웃사이더가 되도록, 돈 버는 기계로 전락하도록 한 데에는 본인 책임이 크지만, 아내에게도 책임이 있다. 남편이 쓸쓸해지면 당연히 아내도 힘들어진다. 하루라도 빨리 남편을 자꾸 집 안으로 끌어들여야 한다. 잘 알다시피 가장 좋은 매개는 아이들이다.

남편도 아이들과 가까워지고 싶어 한다. 정말 시간이 맞지 않아 기회가 없을 뿐이고, 주말쯤에 기회가 생겨도 어떻게 해야 아이들과 잘 놀 수 있는지 방법을 모르기 때문에 못하는 것이다.

일단 아이들과 친하게 하려면 남편을 집에 일찍 들어오고 싶게 만들어야 한다. 늘 아이들이 잠든 시간에 들어오는데 어떻게 아이들과 놀겠는가?

들어오고 싶은 분위기를
만들어주자

남편이 집에 들어오는 것을 즐겁게 여기도록 하려면, 즉 집에 와서 놀고 싶게 하려면 집이 편안하다는 느낌이 들게 해야 한다. 회사에서 10시간 가까이 긴장하면서 스트레스 속에서 일했는데 집에 돌아와서도 긴장해야 하거나 부담스러운 일만 기다리고 있다면 누가 집에 들어오고 싶겠는가? 그렇다고 남편을 상전처럼 모실 준비를 하고 기다리라는 말은 아니다.

집에 일찍 들어오는 것에 대한 보람과 충분한 보상을 느끼게 하는 것도 좋은 방법이다. 묘하게도 남편은 자기가 자기 집에 들어오는 것도 큰 인심을 쓰는 것처럼 말한다. "나 일찍 들어가거든. 저녁밥 집에 가서 먹을 거야"라고 크게 선심 쓰는 것처럼 말한다.

그런 남편 마음을 이해하고 그 기대를 채워주려면 아내를 비롯하여 가족이 반기고 기다렸다는 듯이 앞 다투어 애기도 하고 부탁도 해야 한다. 아내 스스로 할 수 있는 일이라도, 예를 들어 액자를 다시 건다든지, 큰 화분을 옮긴다든지, 아이의 만들기 숙제를 같이하자고 한다든지, 남편에게 임무를 줘서 자기 존재에 대한 가치를 강하게 느끼게 하면 남자는 없던 힘이 생긴다. 모든 남자는 예로부터 '백마 탄 왕자'의 자부심으로 일생을 살거나 자신을 필요로 하는 현장으로 두 주먹 불끈 쥐고 '출동!'을 외치면서 흥분한다.

그런 다음 그에 대한 심리적·실질적 보상으로 마무리하면 남편은 집에 일찍 들어와 가족을 두루두루 살피게 되고, 자연스럽게 가족끼리 대화가 늘어날 것이다. 보상이라고 해서 거창한 것이 아니다. 예를 들어 요리하기 번거롭지만 남편이 좋아하는 양념 게장을 준비한다든지, 남편이 갖고 싶어 하던 디지털카메라를 사준다든지, 남편이 좋아하는 컴퓨터 바둑 게임을 하게 한다든지, 특별 용돈을 준다든지 등이다.

가장 효과적인 보상이라면 시댁 식구, 특히 시부모님께 뭔가 해드려서 시부모님이 남편과 전화 통화하면서 그 사실을 알게 하는 것이다. 자신도 모르게 부모님 옷을 사드렸다든지, 옥장판을 해드린 아내가 어찌 사랑스럽지 않겠는가? 집에 일찍 들어오는 것은 물론이고 남편 입에서 장모님 온천여행 보내드리자는 말이 나온다.

아이와 소통하는 방법을 훈련시키자

남편이 집에 일찍 오고 싶게 만들려면, 그리하여 아이들과 놀게 하려면 아이디어가 필요하다. 마인드도 변해야 한다. 집안일이나 육아를 남편이 하게끔 하더라도 방법이 문제다. 집안일과 육아를 놀이처럼 하게 하면 된다. 아빠는 대개 애와 놀아주는 것이 습관이 안 돼 있어서 집에서 시간을 보내라고 하면 지루해서 죽는다. 단란주점에서 음주가무할 때는 시간이 정말 잘 간다. 밤 8시부터 새벽 2시까지 6시간을 놀았어도 "벌써 2시나 됐어?" 하며 시간 참 빨리 간다고 아쉬워한다. 본래 사람은 오랫동안 훈련되고 많이 해본 걸 잘하게 마련이다. 실제로 그 좁은 실내에서 그리도 잘 노는 남자들을 보면 귀엽기까지 하다. 사실 도구도 별로 없다. 뚱뚱한 잔, 얇은 잔, 긴 잔 세 가지밖에 없다. 그런데 그 와중에 술잔을 쓰러뜨리는 방법을 어찌나 많이 연구했는지 방법도 다양하다. 손가락으로 퉁기거나 넥타이로 균형을 무너뜨려 보다가 급기야는 소화기도 들고 놀고 눈에 병뚜껑도 끼운다. 이어지는 폭탄주에 박수치며 한 사람, 한 사람 쓰러져가는 걸 보면서 장렬히 전사하는 걸 즐긴다. 그러고 나서 새벽 2시, 집에 들어온 남편은 딱 네 마디로 집안을 돌본다. "애들은? 별일 없고? 6시에 깨워라. 잔다." 여자들도 처음에는 말 좀 하자고 하다가 결혼한 지 10년쯤 되면 남편처럼 똑같이 네 마디 한다. "왔어? 밥은? 몇 시에 깨워? 자." 마치 남편은 감사 나온 사람처럼 별일 없으면 집안이 잘 돌아간다고 생각한다. 왜 가정에 별일이 없겠는가? 아주 복잡하고 많지. 그 많은 일을 여자 혼자 해결한다.

　사실 집 안에서는 아이들과 함께 노는 '육아' 그리고 청소하고 밥하면서 대화도 즐기고 하는 '가사'를 빼면 놀 것이 없다. 집 안에서 넥타이를 머리에 맬 일도 없고, 병뚜껑을 눈에 끼울 일도 없다. 집 안에서 유능한 사람이 되려면 육아와 가사에 능해야 한다. 그래야 집안 식구들과 친숙한 감정을 공유할 수 있다. 사실 집 안에서는 초등학교 다니는 아들보다 아빠가 더 무능하다.

현명한 아내라면 남편이 나이 들어 방 안에 갇혀 고독한 노후를 보내지 않도록 가족과 친근한 관계를 유지하게 도와야 한다. 집에서 하는 일 자체가 남편이 좋아하는 놀이가 되도록 아이디어를 짜고 분위기를 만들어야 한다.

그러기 위해서는 남자들이 원하는 놀이를 하도록 환경을 만드는 것도 한 가지 방법이다. 자신의 방식에 맞지 않는다고 애들 앞에서 핀잔을 준다거나 애들에게서 남편을 떼어놓지 말아야 한다. 남자들에게는 그들만의 놀이방식이 있다. 엄마는 가볍게 안아주면서 놀 때 아빠는 아이를 천장에 닿을 듯이 던지면서 논다. 엄마는 목욕탕에서 오리를 가지고 놀지만 아빠는 수건을 쓰고 배트맨 놀이를 한다. 사실 아이들은 딸이건 아들이건 남성인 아버지와 여성인 어머니 모두에게서 다양한 놀이로 다양한 감수성을 자극받는다. 그런데 지금은 엄마와 노는 것에만 편중되어서 오히려 아이들의 다양한 경험을 막는다.

아빠에게 중학생 딸과 5시간 동안 수다 떨라고 하면 이것은 거의 고문에 가까운 일이 된다. 여자들은 입만 가지고 감정이입하면서 이틀이라도 놀 수 있지만 남자들은 한 시간을 버티기도 힘들다. 남자들은 도구가 없으면 놀지 못한다. 남자들이 5시간 놀 때는 대개 축구하면서, 당구 치면서, 술 마시면서, 포커하면서 놀지 아무것도 없이 그냥 놀지 못한다.

　남자들이 싫어하는 쇼핑도 그렇다. 남편이 좋아하는 쇼핑을 하게 하면 된다. 아내와 백화점 쇼핑은 30분도 못 견디는 남편이 용산전자 상가에 아들과 풀어놓으면 SS501과 슈퍼주니어의 차이점에 대해 한나 절을 이야기할 수 있다. 엄마의 방식이 옳고 아빠의 방식은 위험하다 는 생각을 버려야 한다. 아빠의 양육방식이 아이에게 스며들 시간을 주어야 한다. 아빠와 대화를 많이 하고 자란 아이들이 사회성도 풍부 하고 자신감에 차 있다는 이야기는 절대 과장이 아니다. 아빠는 세상 을 미리 보여주는 창이기 때문이다.

내 남자의 기가
하늘 높은 줄 모르게 하라

식당에서 뛰어노는 아이를 혼내면 아이 엄마가 달려와서 "아니, 애 기죽게 왜 혼내고 그래요!"라면서 감싸고도는 것을 볼 수 있다. 이런 이야기는 하도 많이 해서 이제는 안 그럴 거 같지만 아직도 그런 상식 없는 교육을 하는 엄마들이 많다. 아주 잘못된 자녀 교육법 가운데 하나가 '애 기 안 죽이겠다고 마냥 감싸고만 도는 것'이라고 한다. 그런데 이렇게 무조건 기 살려주기는 아이보다 남편에게 더 필요하다.

'누구네 남편은 얼마를 번다더라.' '누구네 남편은 밤일을 잘한다더라' 하면서 남편의 기를 죽여 봤자 얻는 것은 '못난 남편과 같이 사는 불평 많은 마누라' 라는 타이틀밖에 더 있겠는가. 잘하는 사람에게는 '잘한다, 잘한다' 하면 득이 되지만 못하는 사람에게 '못한다, 못한다' 하면 독이 된다. 남편이 못났다고 투덜댈 시간에 남편 기를 살려주면 정말로 괜찮은 남편으로 바뀔 수 있다.

"나는 언제나 영원히 당신 편이라오"

남편의 기를 살릴 때 기본에 깔아야 할 것은 바로 '내 편' 의식이다. 아내가 남편의 변함없는 편임을 확인해주어야 한다. 세상에 언제나 내 편을 들어줄 사람이 있다는 것만큼 든든하고 자신감을 갖게 해주는 것은 없다. 물론 이것은 아내도 마찬가지다. 아내 역시 남편이 하늘이 두 쪽이 나도 자기편이라는 확신이 있을 때 지옥이라도 마다 않고 함께 갈 수 있다. 부부가 서로 내 편이라는 동지애를 가지고 산다면 세상에 두려울 것이 없다.

여기서 중요한 것이 남의 남자와 내 남자를 비교하는 짓만은 절대 하지 말아야 한다는 것이다. 비교하면서 남편 기를 팍팍 죽이는 아내는 남편과 행복하게 살고 싶지 않다는 것밖에 안 된다.

절대 하면 안 되는 것이 한 가지 더 있다. 애들 앞에서 남편에게 핀잔을 주거나 남편 흉을 보지 말아야 한다. 남편 기를 죽이고 싶거나 남편과 멀어지고 싶은 사람은 애들 앞에서 남편 흉을 들춰내고 비난하면 효과만점일 것이다.

베갯밑공사라는 말이 있다. 한 베개를 베고 다정한 자세로 단둘이 있을 때에는 비판도 하고 충격 요법으로 자극을 줘도 된다. 하지만 남자들은 누군가 다른 사람 앞에서 자신이 무시당하는 느낌을 가장 못 견뎌 한다. 하물며 자식 앞이라면 더 무슨 말이 필요하겠는가?

남편의 자신감을
완전 충전하는 말

남자들이 여자들에게, 특히 아내에게 가장 듣고 싶은 말은 무엇일까? "사랑해." "당신 최고야." 이런 말도 좋지만, 남자들이 들으면 기분이 가장 좋아지는 말은 '고맙다'는 말이다. 그뿐만 아니라 남자들에게는 고맙다는 말을 들으면 앞으로도 그와 비슷한 행동을 할 능력이 본능적으로 갖춰져 있다.

그래서 무기력의 늪을 피해가며 의욕적으로 일상에 임할 수 있으며, 그 과정에서 아내를 행복하게 만드는 일, 아내가 고마워할 일이 무엇일까 고민하게 된다. 그리고 아내에게 고맙다는 말을 또 듣기 위해서 다른 일을 실천하기도 한다. 설사 자기가 계획한 것은 아니라고 할지라도 고맙다는 말을 들으면 '내가 잘해준 게 뭐 있지?' 하는 생각도 하고, '고맙다는 소리 들을 일 맞나?' 하는 생각을 하면서 아내에게 잘

해주려고 노력하게 된다.

그렇다면 아내가 남편에게 할 말이 무엇이겠는가? 아주 쉽다. 남편을 항상 힘 있고 의욕 넘치는 젊은이로 만들려면 '고맙다'는 말을 많이 하면 만사형통이다.

부부 사이에 고맙다는 말을 굳이 말로 표현해야 하냐고 묻는다면, 남편한테 결혼 전에 사랑한다는 말을 한 번 들었다고 더 안 들어도 상관없냐고, 사랑한다는 말을 들으면 기분이 좋지 않느냐고 되묻고 싶다. 표현은 남편들만 해야 하는 것이 아니다.

더운 여름날, 남편이 전화해서 냉면 맛있게 하는 집을 안다며 회사 앞으로 나오라고 한다. 아내는 신이 나서 남편 회사 앞으로 간다. 그리고 남편과 함께 냉면을 먹으면서 말한다.

"여보, 고마워."

그것도 콧소리를 내면서. 남편은 "고맙긴, 이 정도 가지고"라고 말하면서도 얼굴에 싱글벙글 웃음이 가득해진다. 거기서 멈추지 않고 아내는 오버를 한다.

"통 입맛이 없었는데, 역시 당신밖에 없어. 당신은 정말 맛있는 집 찾는 데는 귀신이야. 다른 남자들은 먹어도 맛을 잘 모르잖아. 미식 능력, 이거 아무에게나 있는 거 아니거든."

그러자 남편은 이렇게 대꾸한다.

"당신 낙지볶음 좋아하지? 나 낙지볶음 잘하는 집도 알아뒀는데."

그러고는 그날 바로 낙지볶음 식당도 예약한다. 워낙 인기가 많은 집이라 예약을 안 하면 줄 서서 30분 이상 기다려야 하는 집이기 때문이다.

이런 상황에서 아내가 이렇게 말한다면?

"이 집 맛있다고 소문났다고? 면은 그런대로 괜찮은데 육수가 영 아니다. 냉면은 육수 맛인데. 어쩐지 이 집 아닐 것 같다고 했지? 간판부터 딱 보니까 별로일 것 같았어."

남편 얼굴이 한순간에 구겨지며 이렇게 대답한다.

"맛없으면 먹지 마."

그리고 속으로 이렇게 생각한다. '내가 다시는 어디 맛있게 잘하는 집 있다고 데려가나 봐.'

부부는 함께 오래 살면 같이 산 세월만큼 같이 먹는 게 더 많아져야 한다. 마찬가지로 같이 가는 곳도, 함께하는 취미도 많아져야 한다. 그런데 오히려 거꾸로 가는 부부가 많다. 결혼 초기에는 같이 먹는 것도 많고, 같이 가는 곳도 많고, 함께하는 취미도 있었는데 살면 살수록 같이 먹는 것도 없고, 함께 가는 곳도 없고, 둘이서 하는 취미도 없어진다. 심지어 간만에 큰맘 먹고 여행을 떠났다가도 가는 길에 꼭 싸우고 돌아온다.

이 모든 일이 남편은 아내를, 아내는 남편을 몰라서 생기는 결과다. 그리고 그 모든 갈등이나 싸움을 진정시켜주는 것은 지혜로움이

다. 싸워서 이기는 게 아니라 싸우지 않는 지혜로움이 필요한 것이다.

그러기 위해 평소에 습관을 들여놔야 하는 것이 바로 남편에게 '고맙다'고 말하는 것이다. 남편에게 하루에 한 번씩 고맙다는 말을 해보자. 이 말은 당신이 예상하는 것보다 훨씬 더 놀라운 힘을 지니고 있다. 갈등과 반목 대신 이해와 사랑이 부부 사이에 자리하게 될 것이다.

고맙다는 말 다음으로 남편을 바꿀 수 있는 말이 바로 "당신이 필요해"라는 말이다.

스스로 쓸모 있는 남자로 느끼게 하자

남자는 폼에 사는 사람들이다. 기를 세워주면 이 세상에 못할 일이 없다. 늘 남편이 당신에게 필요한 존재라는 사실을 느끼게끔 행동하고 말할 필요가 있다. 결혼생활을 오래할수록 아내들은 너무 강해지는 경향이 있다. 남자들이 안 해주기 때문이기도 하지만 혼자서도 뭐든지 너무 잘한다. 시작은 무심한 남편 탓이라 할지라도 남편을 변화시키지 않고 계속 혼자서 다 해버리면 남편은 정말 설자리가 없어지고, 그에 비례하여 부부 사이의 간격은 벌어진다.

벽에 액자 거는 일이라든지 세탁기 수리하는 일이라든지 물새는 변기 수리 등을 여자 혼자서 할 수 있는 능력을 키우는 것도 물론 필요하다. 하지만 적당하게 한두 가지는 남겨두고 남편에게 SOS를 쳐야 한다. 그리고 남편이 그에 응할 때는 아낌없이 칭찬하는 것이다.

"당신은 정말 기술도 좋아. 어떻게 이렇게 잘 고쳐? 난 정말 당신이 필요해. 당신 없이 내가 뭘 하겠어?"

좀 닭살이 돋아도 이런 말, 가끔 남편에게 던져보면 정말 남편이 이 남자 없으면 못 살지 싶게 해줄지도 모른다. 아니, 적어도 그런 노력을 하는 남편이 될 것이다.

나이가 들수록 우악해지는 여자들이 있다. 못질도, 수리도, 무거운 거 옮기는 것도 남편보다 더 잘한다. 남편은 있어봤자 거치적거린다고 이사도 혼자 한다. 이렇게 되면 남편은 아주 잠깐은 편하게 여길지도 모른다. 하지만 시간이 흐르면 자신이 뭔가라는 의문과, 자기가 아내에게 어떤 존재인지에 대한 궁금증을 끌어안고 불안해한다.

할 일이 없어지는 것, 자기 존재가 가벼워지는 것, 즉 필요 없는 존재가 되는 것을 남자들은 특히 못 견뎌 한다. 자기가 꼭 필요하다는 아내에게 남편이 어찌 무심할 수 있겠고, 생각이 다르다고 해서 무시할 수 있겠는가?

남편의 '폼생폼사'를 지원하자

남자들은 여자들이 생각하는 것보다 훨씬 더 폼에 죽고 폼에 산다. 안 그러는 척하는 남자들도 한 꺼풀만 벗겨내면 그놈의 폼 때문에 버리면 안 되는 것도 버리고 가지면 안 되는 것도 가진다. 따라서 폼생폼사를 인정하려면 대화법에 신경 써야 한다.

예를 들어 남편이 회사에서 안 좋은 일이 있었다고 하자. 상사에게 말도 안 되는 일로 심하게 깨진 것이다. 아내가 그런 일이 있어서 그 이야기를 남편에게 하면 남편이 "저런, 뭐야? 그런 사람이 다 있어? 세상에 너무하다. 당신 정말 속상했겠다. 아휴, 상식 없는 사람이네" 이러면서 함께 속상해하고 동조해주길 바란다. 그러면 아내는, '아, 이 남자, 언제나 내 편인 이 남자가 있는데 세상 다 덤비라고 해'라고 생각할 수 있다. 그러면서 당장이라도 사표 던질 것같이 굴던 사람이 속으로 상황 정리하고 혼자 끝낸다. 그리고 다음 날 회사 가서 생글생글 웃으면서 일한다.

그렇다면 남편에게는 어떨까?

"어머, 그 부장 정말 나쁘다. 어떡해? 당신 너무 속상했겠다. 저런, 어쩌지? 당신 괜찮아? 계속 그러면 어쩌지?" 이렇게 한숨 푹푹 내쉬면서 함께 속상해하면 남편은 오히려 더 암울해 하고 더 무너진다. 자신이 아내까지 힘들게 하는 못난 남편, 아내에게 못난 모습이나 보여주는 한심한 사내로 여겨지기 때문이다. 남자는 폼에 살고 폼에 죽는 부류이기 때문이다. 남자는 이기는 게임만 인정하도록 교육받았기 때문이다.

이럴 때 남편에게 어떻게 말해야 할까? 남편이 친구들과 얘기하는 것을 가만히 들어보면 답을 찾을 수 있다.

남자들끼리 얘기하는 것을 들어보면 정말 유치하기 짝이 없다. 술 많이 마신 자랑, 몇십 대 일로 싸워 이겼다는 자랑, 심지어 밤에 쉬지 않고 몇 번 할 수 있다는 얘기까지 뻔히 보이는 거짓말인데도 진지하게 서로 자랑하느라 여념이 없다. 특히 군대 얘기 나오면 다들 목소리와 눈빛이 달라진다.

여자가 보기에는 유치하고 시시한 얘기지만 폼으로 사는 남자에게는 중요한 이야기이고 중요한 태도라는 것을 일단 인정하는 것이 좋다. 그래야 남자와 대화하는 방법을 터득하게 된다. 남자와 대화를 잘하려면 남자의 폼을 치켜세워주면 된다. 이것이 기본원칙이다.

앞의 예처럼 남자가 회사에서 속상한 일을 당했을 경우 친구들끼리는 이렇게 말한다.

"더러워서 회사 못 다니겠어."

"너, 성질 많이 죽었다. 그걸 그냥 내버려둬? 부장이고 뭐고 들이받아 버려."

이러면서 친구들과 술자리에서 멀쩡한 부장 한 명 완전히 죽인다. 고민은 나중에 하고 그런 식으로 일단 스트레스를 푸는 것이다. 대화하고 싶은 이유가 터질 것 같은 가슴을 좀 식히자는 것이지 구체적인 대안을 얻기 위해서가 아니라는 것은 남자나 여자나 매한가지다.

남편에게 남편 친구들 흉내 내며 받아주면 어떻게 될까? 더럽고 아니꼬워서 회사 못 다니겠다고 투덜대면 "그러게. 그 사람들 우리 남편 잘못 봤지. 그래서 당신 참았어? 왜 그랬어? 당신 성질 많이 죽었다. 걱정하지 말고 들이받아 버려. 그래도 정신 못 차리면 그만두고 나오면 되지. 당신 같은 인재 놓치면 자기들 손해지 누구 손해야."

물론 진짜로 사표 쓰고 나오면 큰일이다. 그래도 그렇게 말하면 남편은 친구들과의 대화와는 또 다른 기분으로 아내와 함께 부장과 회사를 들었다 놨다 할 수 있다. 그리고 잠자리에 들면 틀림없이 새벽 2시쯤 혼자 깨어서 베란다로 나갈 것이다.

'내일 나가서 부장님께 무조건 사과드리자. 나를 믿고 사는 아내가 있잖아. 무조건 죄송하다고 할까. 커피 한잔 하자고 말을 건넬까?'

남자는 이렇다. 아내가 자기편이라는 확신이 들면 그 확신에 대한 책임감을 저버리지 않는다.

그런데 그것도 모르고 아내가 "속상하고 못마땅해도 어쩌겠어? 내일 부장님께 사과드려. 자기가 숙이고 들어가야지 별수 있어, 응? 내가 자기한테 잘할게"라고 하면 남편은 정말 회사 다니기 싫어진다. 아무리 야시시한 옷을 입고 콧소리를 내도 그런 말을 하는 아내가 절대 사랑스럽지도 고맙지도 않다. 당연히 책임도 지고 싶지 않다.

위풍당당하고 멋진 남편과 살고 싶다면 남편이 폼 잡도록 기를 팍팍 세워주면 된다. 이 세상에서 가장 괜찮은 남자와 살아서 행복하다는 몸짓을 좀 과장해서 보여주는 것도 좋겠다. 살다보면 솔직한 게

미덕이 아닌 경우가 너무 많다. 실제 그게 아니어도 그렇게 표현하다 보면, 미래에는 현실이 될 수도 있다. 반대로 남편의 폼을 자꾸 무너뜨리는 말을 하면 미래에는 정말 늙고 보잘것없는 남편이 당신 옆에 서 있을 것이다.

6
:

엄마는 아이의 첫 번째
역할 모델이자 최초의 멘토

평생 품고 갈
긍정의 씨앗을 심어줘라

우리 엄마는 양장점을 하느라 너무 바빠서 다섯 형제를 다른 엄마들처럼 보살피지는 못했다. 그런데 우리 엄마는 늘 "너네 다 잘 될 거야. 걱정하지 마"라는 말은 하셨다. 그래서 나는 어렸을 때부터 내가 잘 될 줄 알고 있었다. 왜냐하면 엄마가 항상 나한테 이런 얘기를 하셨다.

"미경아, 네가 왜 이렇게 잘 되는지 알아? 너는 엄마한테 평생 감사해야 해. 내가 너 태몽을 잘 꿔서 그런 거거든."

나는 그렇게 귀에 못이 박히게 다섯 살 때부터 태몽 얘기를 들었다. 한 3년 전에도 우리 회사가 갑자기 확 클 일이 있었다. 중요한 행사를 하고 나서 엄마한테 전화를 했다. 나는 중요한 행사나 좋은 일이 있으면 항상 엄마, 아버지한테 전화하는데, 한 사람한테서 전해 들으면 현장감이 떨어진다고 항상 두 분이 스테레오로 전화를 같이 받으신다. 그날도 엄마와 아버지는 라이브로 이야기를 전달하면서 통화했는데, 엄마가 아나나 다를까, "너 요번 행사도 왜 그렇게 잘 됐는지 알아? 내가 너 태몽을 잘 꿔줘서 그래. 너는 하여간 평생 엄마한테 감사하고 살아야 해." 그러면서 태몽 얘기를 또 하시는데, 그날은 태몽 얘기를 차마 가까이 듣지 못하고 전화기를 저쪽에 둔 상태로 막 울면서 들었다. 우리 엄마가 그렇게 노래를 부르는 태몽은 이렇다.

엄마 처녀 시절에는 보지도 못했던 8차선 고속도로를 엄마는 꿈에서 봤다고 한다. 꿈에 8차선 고속도로에 어떤 사람이 말을 달그락거리며 달려가는데 수만 명이 그 사람을 쫓아가더라는 것이다. 그런데 하얀 말을 타고 앞장서 달리는 그 사람은 머리가 굽실굽실한 것이 외국사람 같기도 하고 여자 같기도 하고 남자 같기도 하더라는 것이다. 엄마가 그 수만 명을 헤치고 극성스럽게 마구 달려가 그 사람이 여잔지 남잔지 확인하려고 말꼬리를 딱 잡고 봤더니 그 사람이 여자였단다. 그리고 나를 낳았다고 한다.

나도 들을 때마다 꿈 내용이 멋있어서 막 흥분되곤 했다. 그러면서 엄마는 늘 "미경아, 너는 수만 명이 따를 거고 무조건 잘 될 거야"

라고 하셔왔다. 그런데 그날 그 얘기를 멀리 두고 들을 수밖에 없었던 이유가 있다.

　내가 어렸을 때부터 수양엄마로 모시는 분이 계셨다. 엄마 친구로 아이를 못 낳는 분이셨는데, 딸이 많은 우리 엄마가 자매 가운데 하나를 데리고 가라고 그랬단다. 엄마가 우리를 불러놓고 "누가 갈래?" 하고 물었을 때 "엄마, 내가 갈게" 하고 나서서 내가 그분의 수양딸이 된 것이다. 지금은 돌아가신 수양엄마는 초등학교 선생님을 오래하셨다. 돌아가시기 얼마 전 우리 집에 오셨을 때였다. 술상을 차려놓고 이야기를 나누는데, 수양엄마가 "미경아, 너희 엄마 같은 사람 세상에 없어. 넌 평생 감사하고 살아야 해. 네 엄마가 너한테 얘기하는 말 달리는 태몽 있잖아. 그거 사실은 다 뻥이야"라고 하시는 게 아닌가. 수십 년 동안 의심 없이 믿어온 태몽이었는데 말이다.

　"그거 다 거짓말이야. 충북 괴산 증평 시골에서 딸을 낳았지만 정말 멋있게 키우고 싶다고, 복숭아 받은 꿈 갖고 어떻게 크게 되겠냐고 너희 엄마가 딸 낳을 때마다 하나하나 꿈을 지어낸 거야."

　어쩐지 우린 어렸을 때부터 좀 이상하다고 생각했다. 다른 사람들 태몽은 안 그런데 우리 엄마는 꿈이 왜 이렇게 스펙터클한가 싶었다. 언니 태몽도 대단해서 엄마는 원래 태몽 콘셉트가 저러신가보다 했는데, 알고 봤더니 다 지어낸 거라니.

　태몽이 현실에서 얼마나 영향력이 있는지는 모르겠다. 하지만 엄마의 그 꿈은 나한테 무한한 자신감을 불어넣어준 것은 확실하다. '난 잘 될 거야!' '난 대단한 태몽의 주인공이라고, 잘 될 거야!' 라는 자신감 말이다. 진즉에 알았으면 우리 아이들한테도 이런 유산을 물려주었을 텐데 아쉽다는 생각이 들었다.

부모의 신뢰는 아이에게 성공의 주문이 된다

엄마가 24시간 붙어서 "너 이거 하지 말랬지!" "학원 가라고 했지?" 하는 것이 중요한 게 아니라 '넌 잘 될 사람이야' 라는 자존감을 심어주는 것이 중요하다.

실제로 세계적으로 성공한 사람들의 부모는 어렸을 때부터 너를 믿는다는 말을 많이 했다고 한다. 누구나 다 알고 있는 할리우드 최고의 영화감독 스티븐 스필버그의 어머니도 그랬다고 한다.

스필버그는 어렸을 때 친구들과 잘 어울리지도 못하는 외톨박이여서 공상에 잠겨 있을 때가 많았고, 늘 C를 받는 학생이었다. 그래서 눈여겨보는 사람이 없었는데 엄마는 눈여겨봤다고 한다. 왜 눈여겨봤을까? 자기 눈앞에 있으니까. 아무도 눈여겨보지 않는 아이를 눈여겨봐주는 엄마가 있다는 것이 중요하다. 외톨박이 같은 스티븐 스필버그를 보고 엄마는 "너는 다른 아이들과 달라, 특별해"라고 했단다. 낙천적인 신뢰가 지금의 스티븐 스필버그를 만든 것이다. 그렇지 않아도 자긍심은 땅을 치는데 외톨박이라고 "나중에 커서 뭐가 되려고 그러니?" 했으면 지금처럼 성공하지 못했을 것이다. 부모의 신뢰는 아이가 성장할 수 있는 밑바탕이 된다.

컨설팅하면서 만난 분에게 들은 이야기다. 이분은 아내가 지나가는 말로 "요즘 애가 자꾸 오락실에 다녀서 죽겠네"라고 말하는 것을 듣고 아이가 정말 매일 오락실에서 죽치는 줄 알고 걱정이 되었다. 엄마들이야 아이가 오락실에 가는 거 외에도 다른 모습도 보지만 아빠들은 그렇지 못하다. 아빠들은 엄마들보다 아이들이 무엇을 하고 다니는지, 무엇을 하고 노는지 모르는 경우가 많다. 심지어는 뭘 입고 다니는지도 모르는 아빠들이 많다. 새벽에 나갔다 아이 잘 때 들어오다 보니 아이가 자는 모습밖에 못 봐서 잠옷만 보고, 무슨 옷을 입고 다니는지도 모르는 것이다.

그래서 가만히 보니까 아이가 가방 들고 학원 갔다 왔다고 하는데 자기가 보기에는 '이놈이 또 오락실 갔다 왔구나' 싶었다. 친구네 집에 놀러간다고 나가는데 오락실 가는 것으로 보였다. 그래서 아이한테 오락실 다니지 말라고 수시로 야단을 쳤다. 그러다보니 아들 녀석이 자신을 슬슬 피하고, 눈만 마주쳐도 흠칫 놀라고, 오락실 안 간다고 자꾸 거짓말을 하는 것 같았다.

이래선 안 되겠다 싶어서 하루는 아이를 데리고 같이 오락실에 가서는 2천 원을 1백 원짜리로 바꿔주면서 "어디 한번 실컷 해봐라"

했다. 그랬더니 아이가 놀라서 "3백 원이면 되는데, 3백 원만 주세요" 하는 것이 아닌가. 그러곤 오락기 앞에 가서 너무나 천진난만하게 오락을 했다. 아빠는 아이가 오락 중독이 되어 타락한 모습일 줄 알았는데 그게 아니었다. '아이가 잘못한 게 아니라 내가 잘못했구나. 그래도 이 아이들의 놀이문화가 우리가 생각하는 것처럼 타락하지는 않았구나' 하고 생각했다.

아이를 때려도 보고, 겁에 질리게도 했는데, 자기가 봐왔던 수많은 아이 표정 가운데 그렇게 순수한 모습은 그때 처음 보았던 것이다.

사실 믿어주는 만큼 거짓말을 안 하는 것은 어른도 마찬가지다.

"거래처 손님들 접대하느라 할 수 없이 단란주점 가야 해." 그러면 아내가 그런다. "거기 여자 나오는데 아냐?" 그럴 때 그렇게 얘기할 정도면 남편은 "그래도 나 신경 안 써. 걱정하지 마" 하며 그냥 일찍 들어오기도 한다. 그런데 아내가 뭐라고 하면, 남자가 호프집 갔다 왔다고 하는데 이마에는 단란주점 다녀왔다고 씌어 있다.

아이도 마찬가지다. 부모가 믿어주고 이해해줘야 거짓말을 안 한다. 믿어주는 만큼 당당하게 성장한다. 다 얘기하고 솔직한 아이가 당당하지, 속이는 아이는 당당할 수 없다. 이해받는 사람이 폭넓게 당당하게 산다. 그래야 다른 사람도 잘 믿는다. 이해받지 못한 사람은 겁에 질리고 불안해 한다.

부모자식간의 관계에서 아이들이 가장 듣고 싶어 하는 말이 "나는 너를 믿어"라는 말이다. 엄마들이 아이와 말다툼할 때 넘겨짚는 말을 많이 한다. "너 왜 이렇게 늦게 와? 공부하고 온 거 맞아? 너 남자 있니? 놀다 왔지?" 아이는 아니라고 하는데도 거짓말하지 말라고 한다. 그럼 마지막에 아이가 이런다. "엄마는 왜 이렇게 나를 안 믿어?" 그럼 엄마가 정신 차리고 다시 얘기해야 하는데 또 "믿을 만한 짓을 해야 믿지" 한다.

아이들은 부모가 자신을 믿지 않는 것을 가장 속상해 한다. 그리고 부모가 자신을 싫어한다고 생각한다. 가출하는 아이들에게 가장 부족한 것이 부모의 신뢰다. 그 애들은 부모가 자길 싫어한다고 생각한다.

'엄마가 나를 믿는구나' 라는 생각이 들면 쫓아다니지 않아도 스스로 할 수 있게 된다.

그래서 오늘 당장, 아이를 위해 해줄 수 있는, 신뢰를 표현할 수 있는 주문을 하나 생각해보자. 우리 어머니의 스펙터클한 가짜 태몽처럼 말이다. 아이에게 늘 이야기 해주면 조금씩 달라지는 아이를 발견할 것이다.

아이는 엄마의 마음이 아니라 말에 반응한다

엄마가 될 준비를 하고 결혼하는 사람은 거의 없다. 계획해서 임신해도 아이를 낳고 보면 느닷없이 엄마가 된 것 같다. 결혼해서는 남편이 가장 좋지만 아이가 생기면 세상에서 가장 예쁘고 사랑스러운 것이 아이가 된다. '아이보다 배우자가 좋다'는 남자는 본 적이 있지만 아내들은 백이면 백 '남편에겐 미안하지만 아이가 제일 좋다'고 한다.

물론 아이가 늘 예쁜 것은 아니다. 아이들은 자라면서 형형색색 색깔을 바꾼다. 아이들이 가장 예쁠 때는 언제일까? 보통은 옹알이할 때가 가장 예뻤다고들 한다. 그리고 또 말 배울 때 한창 예쁘다. 마치 다른 집 아이들은 아직 말을 못하는데 우리 아이만 말하는 것 같다. 나도 그랬다. 큰애 상요가 돌 조금 지났을 때였다. 내가 화장실 문을 닫았더니, 화장실 앞에서 아이가 "우바부바"라고 하는 것이다. 나는 그 소리가 "엄마, 문 열어주세요"라고 들렸다. 엄마들은 신기하게도 다른 사람은 알아듣지 못하는 아이 말을 다 알아듣는다.

예뻐서 눈에 넣어도 아프지 않을 것 같은 아기가 어느새 미운 일곱 살이 된다. 요즘은 미운 네 살, 미친 일곱 살이라고 하는데, 내가 아이 키울 때만 해도 미운 일곱 살 수준이었다. 그런데 그 미운 일곱 살도 사춘기 때에 비하면 아무것도 아니다. 상요는 사춘기 때 속을 많이 썩였다.

아이가 커가는 것을 보면서 무서울 때가 있다. 초등학교 때 그렇게 말 잘 듣던 아이가 여드름 나면서 욕도 잘하고 말도 참 안 듣는다. '열라' '졸라'가 입에 붙어 있다. 내가 대학교 때 서울에 왔더니 서울 아이들이 '쪽팔린다'는 말을 하는 것을 듣고 나도 시골에 내려가서 엄마, 아버지 계신 자리에서 '쪽팔린다'고 했다가 혼난 적이 있는데, 우리 딸은 '왕쪽' '개쪽' 등 없는 쪽이 없다. 생일날 문자도 "엄마, 졸라 사랑해"라고 한다. 그래서 나도 "졸라 고맙다"라고 하니까 말이 좀 통하는 것 같기도 하다.

아이가 낮 시간에 공부 안 하고 텔레비전 보고 있으면 내 딸이지만 너무 한심해 보인다. 그런데 낮에는 그렇게 꼴 보기 싫다가도 밤에 자는 모습을 보면 백일 때 얼굴이 눈에 선해서 말 안 듣는 딸이 천사처럼 보인다. 남편과는 다르다. 남편은 낮에 싸우고 밤에 자는 걸 보면 더 꼴 보기 싫다. 남편 백일 때 얼굴을 내가 몰라서 그러는가 싶다.

요만한 씨앗이 느닷없이 내 안에 들어와서 기도했을 때, 내가 엄마로서 기도하고 있다는 것을 깨닫고 깜짝 놀랐다. 그때는 공부 잘해서 훌륭한 아이 되라고 기도하는 것이 아니라 손가락 다섯 개, 발가락 다섯 개만 있으라고 기도한다.

나도 첫아이를 임신했을 때 감기약을 먹어서 아이가 잘못될까봐 걱정을 많이 했다. 그래서 아이를 딱 낳고 아파 죽겠는데도 의사한테 "아기 좀 배 위에 얹어주세요"라고 하고는 손가락, 발가락 다 있는지 확인하고 다시 쓰러진 기억이 난다. 그렇게 아기를 낳을 때는 소박하고 겸손한 소망을 품는다.

그러다가 아이가 자라면서 옆집 아이도 보이기 시작하고, 또 못다 한 자기 꿈, 욕심을 아이에게 강요하기 시작한다. 사랑과 간섭이나 욕심을 구분하지 못하면서도 모든 것이 사랑이라는 이름으로 포장되기 때문이다. 사랑하기 때문에 아이가 원하지 않는 목표도 만들고 간섭도 하게 된다. 엄마와 아이의 순수하고 소박했던 사랑은 잊어버린 채 조련사가 되어가는 것이다.

"건강하기만 하면 되겠니? 공부도 좀 해야지."

이렇게 살면서 엄마 욕심이 보태져 아이에게 말로 전달된다. 그러다보면 의도하지 않게 하나마나한 대화나 해서는 안 되는 말을 하게 되고, 또 그게 아이들에게 상처가 되기도 한다.

플러스 화법으로
더 따뜻하게 말하라

화법에는 세 가지가 있다. 바로 하면 득이 되는 '플러스 화법'과 하나마나인 '제로 화법' 그리고 차라리 안 하니만 못한 말이나 오히려 해가 되는 '마이너스 화법'이다.

매번 60점 맞던 아이가 80점 맞아왔을 때 "이제야 제대로 공부 좀 했구나" 하며 당연하다는 듯 말하는 것은 제로 화법이다. "시험이 쉬웠나보네. 다른 애들은 100점 받았겠구나"라고 하는 것은 아이의 기를 죽이는 마이너스 화법이다. 그리고 "우와, 우리 딸은 천재야! 거봐, 넌 할 수 있잖아!"라고 하는 것은 아이의 의욕과 자신감을 키워주는 플러스 화법이다.

아이들은 엄마의 사랑을 여러 가지에서 느끼지만, 특히 엄마가 하는 말에서 많이 확인한다. 엄마가 한 말 때문에 상처받고, 아빠가 한 말 한마디 때문에 삐뚤어질 수도 있다.

플러스 화법에서 중요한 것은 일관성이다. 이 일관성이 자녀교육의 핵심이기도 하다. 평소에 "너처럼 공부해서 100점 맞으면 다른 아이들도 다 100점 맞겠다"하다가, 크리스마스이브에 아이를 앉혀놓고 "너는 정말 대단해"라고 말하면 아이가 안 믿는다.

잘 느끼지 못하겠지만 우리는 대부분 평소 플러스 화법보다는 마이너스 화법이나 제로 화법을 더 많이 사용한다. 실상 아이를 키우다 보면 플러스 대화가 안 될 상황이 많이 벌어지기 때문이기도 하다. 애들이 엄마 말을 들을 때보다는 안 들을 때가 더 많다는 것이다. 밥 먹으라고 하면 밥 안 먹고 여기저기 돌아다니고, 슈퍼마켓에라도 가면 이거 사 달라, 저거 사 달라 그러는 게 아이다. 자기가 필요한지 안 필요한지도 모르고 제 나이에 안 맞는 장난감을 사달라고 조르기도 한다. 당연히 '마이너스 대화는 참자. 플러스 대화로 하자' 싶다가도 그냥 팍 마이너스 세제곱으로 내지르게 된다.

관심과 간섭을
헷갈리지 마라

화를 내거나 신경질적으로 말하는 것도 전형적인 마이너스 화법이다. 명령조로 말하는 것 역시 마이너스 화법이다. 엄마들이 가장 주의해야 할 것은 간섭하는 말이다.

엄마들은 관심이라고 생각하지만 아이는 간섭받는다고 느낄 수 있다. 그리고 간섭은 '너를 믿지 못한다'는 것을 내포하고 있다.

내 딴에는 관심 있어서 아이한테 얘기한다고 생각하지만 아이들은 이것을 모두 간섭으로 생각하는 경우가 많다. 적당히 간섭하면 엇나가는 것을 막을 수 있는데, 지나치게 간섭하면 오히려 더 엇나가는 경우가 있다. 꼭 그렇게 문제아가 되지는 않더라도, 어렸을 때부터 간섭을 많이 하면 중고등학교에 가도 간섭하게 된다.

"몇 시에 들어오니? 어디니?" "그 아이 만나지 마라. 걔네 집은 몇 평이니?" 그러다 나중에 결혼할 때가 되면 "네 시어머니는 몇 평 전세 얻어준다니?" 하게 되고, 더 나중에는 손자들까지 간섭한다.

엄마들은 대부분 어렸을 때부터 독립심을 키워야 한다고 말한다. 그리고 독립심 있는 아이를 부러워하기도 한다. 그러면서 본인은 막상 아이에게 간섭하는 말을 계속하면서 독립할 수 있는 떡잎부터 잘라버리는 경향이 있다. 나는 웬만하면 아이들을 간섭하지 않고 독립적으로 키우려고 노력한다.

특히 일상적으로 늘 하는 일은 간섭하지 않는 편이다. 여덟 시에 일어나 학교에 가야 한다든지, 그 시간에 학원에 가야 한다든지 하는 것은 몇 번만 훈련하면 할 수 있다. 그런데 이런 것도 시시때때로 간섭하면 여덟 시가 되어도 아이는 못 일어난다.

사회에 나와 보면, 사실 엄마 말고도 자명종 같은 도구들이 많다. 꼭 엄마가 아니더라도 친구도 있고 남편도 있고 아내도 있고, 사회에서 만난 사람들도 있어 자기가 알아서 다 해결할 수 있다. 그래서 모든 인간은 스스로 알아서 처리할 수 있는 힘을 가지고 있다. 그런데 그렇게 엄마가 자꾸 간섭하면 아이는 혼자서 아무것도 하지 못하게 된다.

평소에 아이에게 그렇게 간섭하는 경우 아이만 독립적으로 자라지 못하는 것이 아니라 엄마도 나중에 아이가 독립해서 간섭할 사람이 없어지면 고독해진다.

사실 나도 그러지 말아야지 하면서도 마이너스 화법을 많이 쓴다. 그렇게 될 수밖에 없는 것은 엄마가 자식을 객관적으로 보기가 매우 어렵기 때문이다. 탯줄로 이어진 아이들은 내 자식이기 때문인지, 객관적으로 보이지 않고 감정적이고 주관적으로 대하게 된다. 다른 엄마가 잘못하는 건 다 아는 걸 보면, 엄마들이 몰라서 그러는 것은 더더욱 아닌 것 같다.

어느 날 엄마가 집에 와 계시다가 내가 딸애 야단치는 것을 보시더니 나중에 이런 말씀을 하셨다.

"너 상요한테 그런 식으로 야단치면 안 된다. 사춘기인데 너 하고 싶은 말 다 하면서 성질부리면 어떻게 하나?"

그래서 "엄마는 안 그랬어?" 했더니 "그래, 나도 그랬지. 근데 참 이상하지, 내 자식일 때는 안 보이더니 할머니가 돼서 한 다리 건너서 보니까 네가 잘못하는 게 눈에 보여. 엄마도 너네한테 잘못한 게 있는데. 너 그러지 말고 엄마가 다 해보고 충고해주는 거니까 내 얘기 들어. 그래야 상요 잘 커"라면서 한 발자국 물러서서 지켜본 나에 대해 조언을 해주셨다.

물론 자식이 내 뱃속에서 태어났지만, 조금만 더 아이를 객관적으로 보고, 감정에 휩쓸리지 않고 대하다 보면, 부모 자식 관계가 본능 이상의 훌륭한 관계가 될 수 있다.

나는 어떤 유형의
엄마인가?

　　돈이 있건 없건 자식교육에 대한 엄마들의 열망에
는 아무 이유 없다. 그야말로 '묻지 마 교육'이다. 아이가 "엄마, 우리
집에 돈 없어서 어떡해?" 하면 "이놈의 새끼야, 너 하나 공부시킬 돈
없을 것 같아? 내 살을 베어 팔아서라도 너 공부시킬 돈은 만드니까
걱정하지 말고 공부해" 그런다.

　　예전에 어떤 마을에서는 아이들 대학등록금을 내는 시즌이 되면
동네 엄마들이 다 수건을 쓰고 다녔다는 우스갯소리가 있다. 아이 학
비에 보태려고 머리카락을 잘랐기 때문에 그랬다는 거다.

아이는 엄마가 그러는 게 부담스러울 수도 있지만 예나 지금이나 엄마들의 그런 노력은 다양한 양상으로 계속되고 있다. 엄마라면 '너만 공부하겠다고 하면 내가 파출부를 해서라도 밀어주겠다' 는 것이 공통된 마음이다. 그런데 엄마들의 이런 노력이 긍정적인 방향이라면 아이의 공부에도, 장래에도 도움이 될 텐데, 최근에는 너무 과하고 극단적이기까지 해서 문제가 되고 있다.

엄마가 자녀에게 어떤 식으로 엄마 노릇을 하는지 네 가지 정도로 분류해 살펴볼 수 있다. 나는 어떤 엄마일까 궁금하지 않은가. 어떤 엄마가 어떤 특장점으로 아이 인생에 도움이 되는지 한번 생각해보자.

아이를 의존적으로 만드는, 매니저형 엄마

〈강남엄마 따라잡기〉 같은 드라마에 나오는 엄마들이 바로 '매니저형 엄마' 에 속한다. 이런 엄마들이 생각보다 꽤 많다. 이들의 특징은 담임선생님보다 입시정보에 더 빠삭하다는 것이다. 엄마가 거의 학원 입시상담사 수준이다. 자기네들끼리 커뮤니티 같은 것을 만들어 정보를 교환한다. 아마도 입시정보 분석사 자격증 같은 게 있으면 1급일 것이다. 하지만 자기들끼리 서로 인증받고 인증해준다. "애, 너만 한 사람이 없어" 하면 그게 바로 자격증을 받은 것이다. 그리고 어리숭한 엄마들과는 어울리지 않는다. "걔 너무 처지더

라. 다음부터 오라고 하지 마" 하면서 자신들 커뮤니티의 우월성을 지킨다.

이들은 아이의 매일매일 공부 스케줄 짜기부터 입시의 마스터플랜까지 총괄한다. 몇 시부터 몇 시까지 어떤 공부를 해야 하는지, 복습과 예습은 어디까지 해야 하는지 스케줄 짜는 것은 기본이다. 어느 대학에 들어가기 위해서는 어떤 과목 성적이 높아야 하는지, 수시전형에 합격하려면 어떤 것들을 준비해야 하는지, 성적이 모자라면 특기적성 중 어떤 것에 주력해야 하는지 등도 줄줄 꿰고 있다.

이런 매니저 스타일 엄마들이 가장 많이 하는 말이 "엄마 믿고 따라와. 나중에 엄마한테 고마워할 날이 올 것이야"이다. 이런 엄마 밑에서 자란 아이는 매우 의존적일 확률이 높다. 엄마가 시키는 대로만 하고 모든 것을 엄마가 결정해주기 때문에 성인이 되어서도 마마보이, 마마걸이 되기 쉽다.

재력이 어느 정도 뒷받침되면 따로 학습 매니저를 두고, 더 재력이 되면 학원과 학교에 실어다주는 로드 매니저까지 둔다. 연예인이 따로 없는 것이다. 이런 아이들 500만 원짜리 과외받다가 취직해서 월급으로 200만 원을 받으면 코웃음 친다. 땀 흘려 일한 노동의 대가를 모른다. 자기가 고생고생하며 직장 다녀 돈 벌면서도 내가 왜 이러고 사나 한다. 그래서 평생 부모한테 의존하면서 회사 월급 이외에도 부모한테 용돈 받아서 쓰는 어른도 많다. 그러다 시집, 장가 갈 때 부모가 돈 대주고, 나중에 아이 낳으면 걔네 과외비까지 할머니, 할아버지가 대줘야 한다. 그래서 요즘은 명문대 가려면 엄마의 정보력과 아이의 머리와 할아버지의 경제력이 필요하다는 말까지 있다.

아이를 산만하게 만드는, 갈대형 엄마

'갈대형 엄마'는 여기저기서 여러 가지 얘기만 듣고 학원을 자주 옮긴다. 그래서 아이가 3개월 이상 다닌 학원이 없다. 결국 아이는 잘하는 것 하나 없이 다 못하게 된다. 또한 제대로 하는 것도 없고 뭘 좋아하는지도 모른다. 갈대형 엄마는 이름에서도 알 수 있듯이 귀가 얇아 누가 잘됐다고만 하면 그쪽으로 확 쏠린다. 노하우가 쌓이면 매니저형 엄마로 가는 수도 있다.

갈대형 엄마들의 가장 큰 특징은 자기 자식을 잘 모른다는 것이다. 그래서 "선생님이 못 가르친다. 실력이 떨어진다." "같이 배우는 아이들이 별로라서 경쟁이 안 된다." "시설이 별로다"라며 탓한다. 이런 트집을 잡아 또 학원을 옮기는 것이다.

갈대형 엄마들이 가장 자주 하는 말은 "내가 어디서 들었는데 그 과외 선생님이 실력이 좋다고 하더라. 너 그 선생님한테 과외받을래?" "학원 옮길래?"다.

갈대형 엄마 밑에서 자란 아이들은 산만한 아이가 될 확률이 높다. 이런 환경에서 자란 아이들은 엄마가 하라고 하니까 '학원 다녀서 성적 나오면 엄마가 칭찬해줄 거야' 하는 생각에 따라는 다닌다. 아이는 '공부 잘하는 아이가 될 거야'가 아니라 '성적이 오르면 엄마가 좋아할 거야'라며 엄마의 목표를 충족시켜주기 위해 공부하게 된다.

내가 갈대형 엄마인지 알아보려면 현재 아이가 하고 있는 사교육 리스트를 정리해보면 된다. 총 몇 개, 몇 시부터 몇 시까지 하는지 등을 정리해보고 나서 목표의식이 뚜렷하게 있는 어른도 힘든 일정은 아닌지 점검해봐야 한다. 중소기업 사장 같은 스케줄대로 아이가 움직인다면 문제가 있다(중소기업 사장님들은 직접 발로 뛰는 경우가 많아 매우 바쁘다).

나도 갈대형 엄마였던 적이 있다. 큰딸 중1 때 수원에서 서울로 이사했는데, 아이 성적이 너무 떨어졌다. 다른 아이들은 과외에 이미 단련되어 있어서 우리 애도 이래서는 안 되겠다 싶어 학원에 보내봤다. 한 달 동안 다니긴 다녔는데 딱 한 달 되니까 딸이 옥상에서 뛰어내리고 싶다고 했다. 왜 그러냐고 물어봤더니 한다는 소리가 "엄마 같으면 안 떨어지고 싶을지 한 번 생각해봐. 아침에 6시 반이면 일어나서 7시 반이면 학교에 가. 학교에서 하루 종일 공부하다 오후 3시 반에 집에 와. 오자마자 옷만 갈아입고, 아니면 특활하다보면 옷도 못 갈아입고 학원 가서 11시에 끝나. 학원에서는 학생들을 쥐 잡듯이 잡기 때문에 쉬는 시간에도 공부해야 해. 그래서 집에 오면 12시야. 텔레비전도 하나도 못 보고, 좋아하는 만화도 못 보고, 책도 못 보고, 그림도 못 그리고 아무것도 못해. 엄마랑 얘기할 시간도 없이 씻고 학원 숙제해야 해. 그럼 1시야. 자고 다시 6시 반에 일어나야 해. 내가 하고 싶은 걸 하나도 못하는데 뭐 하러 살아? 안 해본 것도 아니고, 한 달 살아봤더니 이렇게 살 바에야 더 살 이유가 없어."

아이가 "평균 5점이랑 옥상에서 떨어지는 거랑 뭐가 나아?"라고 하는데, 속으로는 '2층에서 떨어지면 괜히 다치기만 할 텐데' 하는 생각이 들긴 했다. 아이 말을 듣고 보니 정말 나라도 떨어지고 싶을 것 같아서 학원을 그만두라고 했다.

예전에는 이런 살인적인 공부 일정을 고2, 고3만 했으니까 그럭저럭 참을 수 있었는데, 지금은 초등학교 때부터 계속 이러니 떨어지고 싶은 게 당연할 듯싶다. 중고등학생들이 자살 사이트에 한두 번 안 들어가 본 아이가 없다고 한다. 옥상에서 떨어지고 싶다고 생각하는 아이들의 삶이 얼마나 재미없고 의미 없을까. 그러니까 목표의식도 안 생기고, 산만하고, 그렇게 되는 것이다.

'우리 아이는 죽고 싶어 하지 않을까?' 라고 한 번 생각해볼 필요가 있다. 실제로 아이가 죽을까 걱정되어서가 아니라 그만큼 아이가 힘들어하는 것은 아닌지 되돌아봐야 한다는 말이다.

아이를 반항적으로 만드는,
CCTV형 엄마

CCTV형 엄마는 이름에서 알 수 있듯이 아이의 24시간 일거수일투족을 다 감시하는 유형이다. 이런 엄마들은 시공간을 초월해서 아이와 함께하고 싶어 한다. 이런 엄마들은 아이가 자꾸만 문을 닫고 공부해서 자기가 투시력이 있었으면 좋겠다고 한다. 엄마들은 아이가 문을 닫는 즉시 딴 짓 하려는 신호라고 생각한다. 그래서 아이가 공부할 때 문을 열어놓으면 좋겠다는 것이다.

이런 엄마들은 다시 여러 유형으로 나뉜다.

첫째, 막무가내 CCTV형이다. 아이가 무조건 엄마 옆에서 공부하거나 반드시 방문을 열어놓고 공부해야 하는 사람이다.

둘째, 비굴한 CCTV형이다. 과일 들고 들어가 "공부하니?" 하면서 아이가 눈치 못 채게 문을 살짝 열어두고 나오는 유형이다. 이때 아이가 문을 확 닫으면 마음이 무너진다. 나도 비굴한 CCTV형이 될 때가 있다. 평소에는 잘 신경 쓰지 못하지만, 한 번은 나도 해볼까 싶어서 과일 갖다주는 척하면서 들어갔더니 아이가 바로 "엄마, 나 과일 안 먹어" 해서 "죄송합니다~" 하고 나온 적이 있다.

셋째, 귀신같은 CCTV형이다. 아이가 문 열고 나오면 "뭐, 물? 졸려? 화장실?" 아이가 무엇을 원하는지 다 안다. 생체리듬까지도 아이와 함께하는 것이다.

넷째, 지능적 CCTV형이다. 이런 유형은 "엄마가 옆에 있어줄까?" 하면서 아이가 '엄마도 저렇게 고생하는데…, 엄마를 봐서라도 열심히 해야지'라고 생각하게 만든다.

CCTV형 엄마들이 자주 하는 말은 "너 어제 몇 시에 잤니? 얼마나 많이 잤는지 눈이 퉁퉁 부었네"다. 이런 부모 밑에서 자란 아이는 반항형이 되기 쉽다. 그런데 요즘 아이들의 반항은 예전에 우리가 생각했던 것과는 다르다는 것이 문제다. 이런 아이들은 부모와 대화도 안 하고 겉돈다. 그리고 집에서 하는 행동과 밖에 나가서 하는 행동이 다르다. 엄마 앞에서는 착한 척하고 말 잘 듣는 척하고는 밖에 나가서 반항하는 것이다. 속으로 분노와 독을 품는다. 엄마한테 잘하는 척하는 이유는 안 그래도 감시하는데 쓸데없이 잔소리 듣기 싫어서다. 문제를 일으키면 엄마의 감시가 더 심해질 것이기 때문에 굳이 대놓고 반항할 필요가 없다는 것이다.

"아이가 학교에서는 집에서 하는 거와 달라요"라는 말을 듣거나 말해본 적이 있다면 한 번 점검해봐야 한다.

어떤 엄마는 길에다 침 뱉고 담배 피우는 아이가 있기에 '쟤네 부모는 얼마나 속상할까? 참 안됐다' 싶었단다. 근데 어디서 많이 듣던 목소리라서 다시 보니 자기 자식이었단다. 엄마가 나중에 집에 들어온 아이에게 왜 그러고 다니느냐고 물었더니 "내가 밖에서라도 그러니까 엄마 앞에서 고분고분할 수 있는 거야. 그냥 내버려둬. 이것도 못하게 하면 나 미쳐버릴걸?" 하더란다.

이런 유형의 엄마 밑에서 자란 아이는 부모가 챙겨줄수록 자신을 감시하려는 것으로 오해하기도 한다. 늦게 귀가할 때 아빠가 승용차로 데리러 가면 그것도 딴 데로 새지 못하게 하기 위해서라고 여긴다는 것이다.

아이를 방황하게 만드는, 방임형 엄마

'방임형 엄마'는 아이가 커서 취직이 안 되면 그냥 슈퍼마켓이나 가게를 차려줄 유형이다. 이미 때를 놓친 사람일 수도 있고, 아이가 말을 너무 안 들어 포기한 사람일 수도 있고, 아이에게 신경 쓰는 것이 귀찮아서일 수도 있다.

여기서 짚고 넘어갈 것은 '위임형 엄마'와 '방임형 엄마'는 다르다는 것이다. 위임형 엄마는 아이가 원하는 것이 무엇인지 물어보고 아이에게 관심을 갖되 본인 스스로 문제를 해결할 수 있도록 도와주는 반면, 방임형 엄마는 그야말로 내버려두는 무책임한 유형이다.

이런 엄마들은 아이한테, "공부 잘한다고 성공하는 거 아냐. 얘, 나중에 커봐. 살면서 수학 아무 짝에도 쓸모없어. 덧셈, 뺄셈만 할 줄 알면 돼"라면서 아이를 방치한다. 언뜻 보기에는 좋은 말 같지만 수학을 잘 못하는 아이에게 위로하는 말이 아니라 "네가 하는 것은 별로 중요하지 않다"는 말로 들린다는 것이다.

방임형 엄마 밑에서 자란 아이들은 방황형으로 성장할 가능성이 높다. 아이는 엄마의 무관심 때문에 '세상에 엄마도 나한테 아무 기대를 안 하는데 내가 뭐 하러 공부해?'라고 생각하게 된다.

이런 아이들 가운데 80%는 엄마한테 학원 간다고 해놓고 공부도 안 하고 학교에서 친구들과 게임한다거나, PC방 가서 혼자 논다고 한다. 친구 집에 가서 놀면서 엄마 눈속임만 하는 것이다.

당신의 방식을 점검하라

물론 누구나 다 방황은 할 수 있고, 그 방황을 언제 끝나느냐 하는 문제가 중요하지만 이 방황이 사회에 나와서까지 계속되니까 문제다.

사실 아이를 키우는 것이 쉬운 일이 아니기 때문에 엄마들은 다들 시행착오를 겪고, 실수하고, 어느 장단에 춤을 추어야 할지 잘 모르는 것이 당연하다. 그래서 엄마들은 대부분 여러 가지 상황에 따라서 네 유형을 다 경험하게 된다. 물론 나도 네 유형의 모습을 골고루 갖춘 '사이코형 엄마'다.

너무 바빠서 "공부는 스스로 해야 한다"라고 말만 하고 아이에게 신경을 안 쓰기도 하고, 어느 날은 너무 방임하는 것이 아닌가 싶어 "학교에 한 번 찾아갈까?"라고 했다가 "엄마는 찾아가려면 8년 전에 갔어야지 고등학생인데 이제 찾아가면 뭐해?" 하며 딸한테 혼난 적도 있다. 학원에 보내보려고 다른 엄마한테 물어봐서 아이 공부 스케줄을 짜가지고 들어간 적도 있다. 요즘 기업에는 이렇게 길러진 아이들이 들어온다. 아이들이 자라 기업에 들어가서도 엄마의 영향권에서 벗어나지 못해 문제가 되기도 한다.

매니저형 엄마 밑에서 자라 의존적으로 성장한 아이는 스스로 공부하는 방법을 몰라서 같은 대학생한테 사법고시 과외를 받기도 한다. 의존형이 되어버린 아이는 학교 다니기도 힘들고, 학원 선생님이나 과외 선생님이 가르쳐주는 대로만 공부하다보니 스스로 공부하는 방법을 모른다. 나중에 판결문도 과외받아서 써야 하는 거 아니냐는 소리가 나올 정도다.

갈대형 엄마 밑에서 자란 산만형 아이는 어느 직장에서건 한 가지 일에 매진하지 못해서 이 일 했다가 저 일 했다가 한다.

CCTV형 엄마 밑에서 자란 반항형 아이는 상사가 얘기할 때 부드럽게 받아치지 못하고 사사건건 들이받아서 사회성이 부족하다는 소리를 듣는다.

방임형 엄마 밑에서 자란 방황형 아이들은 사람들과 어울리지도 못하고, 회사도 바로바로 옮긴다.

그래서 기업에서는 이러한 아이들을 가려내기 위한 면접법을 개발하고 있다. 그럼 면접을 위한 과외가 또 생기는 건 아닐까? 실제로 대기업 입사 면접 족보가 인터넷에 돌아다니기도 한다. 그래서 요즘에는 입사 면접 족보도 안 통하게 매년 면접형식을 바꾸는 기업도 있다.

예를 들면 "상사가 부당한 지시를 했다. 어떻게 하겠는가?" 같은 질문을 한다거나 등산하고 늦게까지 술을 마시면서 한계에 부딪혔을 때 어떻게 하는지를 살펴보기도 한다. 또는 집단 토의를 시키기도 하는데, 이때 중요하게 보는 것이 '누가 누구를 배려하면서 이야기하는가?' 다. 갑론을박하는 와중에도 리더가 생기고 토의를 주재하는 사람이 생기게 마련이고, 자기주장을 하면서도 남을 배려하는 사람이 있는가 하면, 한 마디도 못하는 사람도 생기게 마련이기 때문이다.

기업에서는 사람 뽑는 일을 인류지대사와 똑같이 생각하기 때문에 엄청나게 신중을 기한다. 내 아이가 숫자로 매겨진 성적만 잘 나오면 된다고 생각해서는 안 된다.

엄마의 시행착오로 아이가 의존형으로 되는 데에는 10년밖에 안 걸릴지 모르지만, 자기 생존을 위해 의존형을 극복하는 데는 평생이 걸릴지도 모르는 일이다. 엄마는 아이 성적이 잘 나오기 바라는 마음에서, 아이가 성공하기 바라는 마음에서 그러는 것이라고 할 수 있지만, 오히려 아이 인생을 망치는 결과를 가져올지도 모른다.

뒤늦게 망쳐진 아이 인생을 수습하기보다 미리미리 아이에게 어떻게 해야 하는지 생각해서 현명하게 대처해야 한다.

'들이붓기식 교육'으로는 아이를 성공시킬 수 없다

텔레비전에서 방학 특집으로 사교육에 관해 강의할 일이 있었다. 강의를 준비하면서 학부모와 학교 선생님, 대학 교수 등 교육현장에 계신 각계의 다양한 사람들을 만날 기회가 많았다. 우리나라 교육이 문제가 있는 것은 알고 있었지만 신문이나 대중매체를 통해 알고 있던 것보다 문제가 훨씬 심각하다는 사실을 깨달았다. 나도 학부모이지만 아이들 교육에는 다소 비적극적으로 대응하는 수준이다. 내 성격에 적극적으로 나서기 시작하면 우리 애들이 견디지 못할 것이라고 판단했기 때문이기도 하지만, 들이붓기만 하는 교육으로는 아이의 경쟁력을 키워줄 수 없다는 것이 가장 큰 이유다. 그리고 내 교육관은 '자기 공부는 자기가 하는 것'이다.

우리 교육의 가장 큰 문제는 사교육 의존도가 너무 높다는 것이다. 부모들은 공교육을 신뢰할 수 없어, 공교육만으로는 아이에게 경쟁력을 키워줄 수 없다는 분위기 때문에 아이들을 사교육으로 내몬다. 하지만 아이들을 위한다는 명목의 사교육 열풍은 사실 부모들의 자기 위안밖에 되지 않는다. 즉 사교육만으로는 아이들에게 경쟁력이나 삶의 다양성에 대한 안목을 키워줄 수 없다는 것이다.

학창시절, 공교육을 받으면서 우리는 아주 많은 것을 배웠다. 체육대회에서 우리 반이 1등 할 수 있었던 것은 공부는 못하지만 달리기를 잘하던 영애라는 친구 덕분이었다. 영애가 달리기를 할 때 전교 1등인 미숙이는 물 당번을 했다. 시험을 앞두고는 미숙이가 아침 자습 시간에 핵심문제를 출제했다. 그래도 우리 반 평균이 전교 꼴등을 면할 수 있었던 것은 미숙이 덕분이었다. 환경미화대회 때는 미술을 잘하는 세영이라는 친구가 솜씨를 발휘해 2등을 했다. 합창대회 때는 반 아이들이 서로 음역에 맞춰 파트를 나누고 교실에 남아 연습에 연습을 거듭해 화음을 만들어냈다. 1등을 차지하진 못했지만 각자의 목소리로 아름답게 소리 낼 줄 아는 방법을 배웠다.

하지만 사교육에서 아이들을 평가하는 기준은 오로지 '공부' 한 분야다. 공부에서 1등이기만 하면 된다. 사교육에서는 나만 잘하면 되는 방법을 가르친다. 다 같이 잘하는 법은 배울 수 없다. 그리고 달리기를 잘하는 아이도, 손재주가 좋은 아이도 사교육의 평가 잣대로는 자신의 효용가치를 전혀 느끼지 못한다.

공부를 잘하는 것이 문제는 아니다. '공부만 1등 하면 만사형통'이라는 어른들의 그릇된 교육관이 아이들 인격 형성에 나쁜 영향을 주기 때문에 문제다. 내가 아는 사람이 자기 조카 이야기를 들려주었다. "아이가 공부를 꽤 잘해요. 강남에서도 전교 1등을 놓친 적이 거의 없으니까요. 그런데 그 아이가 앞으로 뭐가 될지 모르겠어요. 솔직히 그 아이가 앞으로 뭐가 되어도 걱정이지요." 그 아이는 여섯 살 때부터 학원으로 뺑뺑이를 돌려 사교육이 만든 1등일 뿐이라고 했다. 부모님이 1등만 하면 원하는 건 다 들어주고, 잘못한 것도 눈감아주니 아이는 남을 배려할 줄도 모르고, 양보할 줄도 모르고, 자기 것만 챙기는 이기주의자가 되었다는 것이다. 선생님들도 마찬가지다. 학교에서 다른 아이들과 잘 지내지 못해도 서울대 갈 학생이니 특별히 배려해준다는 것이다.

"제 조카지만, 영악하게 머리 굴리는 것을 보면 정말 혀를 내두를 정도예요. 자기만 1등하면 된다고 생각해요. 사랑스러운 조카이기는 해도, 시험만 잘 보는 애가 사법고시 합격해서 법관이 되는 일은 생각만 해도 끔찍해요."

사교육이 나쁜 것이 아니라 교육의 중심이 사교육으로 바뀌는 것, 우리가 사교육에 집중하는 것이 나쁘다는 것이다.

사교육으로는 아이의 가치를
높여줄 수 없다

공교육이 평준화 시스템으로 가다보니 공부에 특출한 아이들의 가능성을 제대로 키워주지 못해 사교육의 지원을 받는 것은 문제가 되지 않는다. 하지만 다른 분야에 재능이 있거나 공부에는 영 재능이 없는 아이들까지 사교육으로 내모는 것이 문제다.

공교육을 못 믿는 이유는 '너무 느려서 변화 스피드를 따라가지 못한다.' '정보가 빈약하다'는 것이다. 아이를 사교육으로 돌리는 가장 큰 이유는 '다른 아이들은 다 학원에 다니는데 우리 아이만 안 보낼 수 없다.'거나 '우리 아이만 학원에 안 보내면 다른 아이들에 비해 목표 획득에서 뒤떨어질 것'이라는 불안감 때문이다.

사교육에 의지하고 집중하는 이런 분위기는 몇 년 전 비즈니스 현장에서와 비슷하다. 1997년 외환위기 때 기업 운영의 공교육을 믿지 못해 외국 컨설턴트들이 들어와 우리 기업을 진단하는 사교육을 선택했다. 그 외국 컨설턴트들은 실력을 기준으로 영어 못하는 사람, 돈 못 버는 사람, 성과 없는 사람을 자르고 구조조정을 단행했다.

하지만 기업에서는 돈을 직접적으로 벌어오는 사람이 있는가 하면, 돈을 벌 수 있게 도와주는 사람도 있다. 지원하는 사람들은 티는 안 나지만 매우 중요한 사람들이다. 외국 컨설턴트들은 돈을 벌 수 있게 도와주는 사람들을 당장 실적이 눈에 보이지 않는다는 이유로 잘랐다. 그런 과정에서 애사심, 일에 대한 열정, 조직에 대한 충성심이 있는 사람들도 잘렸다. 남은 사람들도 배신감을 느끼고 조직에 대한 신뢰감을 잃었다. 개인기가 뛰어난 사람만 남기고, 성과 위주로 재편성된 기업구조가 과연 이익창출에 도움이 되었을까. 인재들은 이제 연봉을 조금만 더 주면 다른 곳으로 직장을 옮긴다. 당연히 기업의 내실은 부실해졌다. 이런 경험을 하면서 최근 몇 년 동안 기업에서는 개인기만 능한 사람보다는 열정이 많은 사람, 팀워크를 잘하는 사람, 충성심이 있는 사람을 뽑는 방향으로 바뀌고 있다.

교육의 효과는 사실 기업처럼 5년, 10년 지나면 금방 나오는 것이 아니다. 그래서 지금 이렇게 사교육에 집중하는 것이 얼마나 잘못된 일인지 잘 모른다.

좋은 대학에 들여보내고, 좋은 대기업에 취직시키기 위한 경쟁력을 키워주려고 사교육에 집중하는 것이 잘못된 선택이라는 것은 이미 현장에서도 확인되고 있다.

지금 기업에는 사교육 1세대가 들어와 있는데, 그들의 열정이나 팀워크 능력 때문에 실제로 문제가 되고 있다. 기업의 인사담당자들에게 들어보면 과외해서 좋은 대학 간 아이들은 실제 면접을 보면 열정과 팀워크 면에서 떨어진다고 한다. 또 대기업 임원들 역시 성적 상위

1%가 사회에서 원하는 상위 1%는 아니라고 말한다. 선생님과 엄마가 해야 할 일을 사교육에 떠맡겨서 길러낸 개인기만 능한 아이들은 이제 갈 데가 없어진다.

다른 사람의 뜀박질에 불안해 하지 마라

사교육에 열성인 엄마들이나 아이들을 만나면서 알게 된 재미있는 사실이 있다. 사교육에 많이 투자해서 아이가 공부를 잘한다고 하면서도 언제나 이야기를 마무리할 때는 "아이 뒷바라지하느라고 가족이 사는 게 너무 힘들어요. 아이들도 불쌍하죠"라고 한다. 그럼 하지 않으면 되지 않느냐고 하면 안 할 수 없다는 것이다. "남들이 다 뛰는데, 어떻게 나만 안 뛰어요?"라고 반문한다.

그들이 멈추지 못하고 달리는 이유 가운데 하나가 선행학습 때문이다. 공부하다보면 중간에 넘어가는 단계가 있어야 하는데, 중학교 1학년 때 학교에서는 1학년 정규수업을 듣고, 과외하거나 학원에서 공부할 때는 중2 과정을 나간다.

남보다 먼저 진도를 나가는 것이 좋기만 할까. 선행학습하는 게 앞서가는 것 같지만, 사실 가장 근본적인 것을 간과하고 있다. 선행학습은 배움의 가장 큰 원동력인 아이들의 호기심을 빼앗는다.

우리 세대가 중학교, 고등학교에 입학할 때 가장 기대하는 게 뭐

였는지 한번 생각해보자. 나는 새 교복을 입는 것이 가장 설렜다. 그런데 엄마가 언니가 입던 교복 입으라고 하면 통성기도에 들어갈 정도였다. 두 번째가 새 교과서다. 이때 또 엄마가 언니가 쓰던 교과서 다락에 다 모아났다고 하면 2주짜리 통성기도에 들어갔다. 운이 좋아 책이 도무지 물려받을 수 없는 수준이면 새 교과서를 챙길 수 있었다. 초등학교 2학년 때였는데, 새로 받은 교과서를 달력종이로 싸면서 무슨 내용인지 궁금해 들쳐봤다. 숫자가 이층으로 되어 있었다. '이 숫자 사이에 있는 작대기는 뭐지? 제목이 분수네. 분수가 뭐지?' 언니한테 물어보니 "분수 몰라? 나는 분수 알지롱" 하면서 가르쳐주지 않아 더 궁금하게 만들었다. 그럼 나도 빨리 분수를 배우고 싶다는 마음이 들었다. 바로 호기심이 생긴 것이다.

호기심으로 스스로 공부하고자 하는 의욕을 불태우는 과정이 수반되어야 교육이 의미 있고, 그런 교육을 통해 아이는 크게 성장할 수 있다. 그런데 요즘 아이들은 선행학습을 하니까 새 교과서를 받아도 호기심이 발동하지 않는다. 엄마들은 심지어 공부까지도 아이가 가장 먹기 좋은 형태로 만들어서 입에 쏙 넣어주려고 노력한다. 그게 바로 고액과외다.

물론 아이가 혼자 공부하다가 이 부분은 혼자 하기 어려우니 과외로나 학원에서 보충하는 게 좋겠다고 스스로 요청하는 경우에는 조금만 지원해주면 아이 실력이 크게 향상되는 것이 사실이다. 하지만 지금 사교육 시장의 문제는 무분별하게 남들 하니까 다 한다는 것이다.

그렇게 이 학원, 저 학원 메뚜기처럼 뛰어다니면서 쌓은 실력으로 만들어진 1%와 사회에서 원하는 상위 1%의 능력이 같은가 보면 절대 아니다. 선행학습 상위 1%가 사회에서 원하는 상위 1%가 되는 것은 아니라는 것이 대기업 임원들의 이야기이고, 또 내 생각이다.

사실 우리는 이때까지 헛돈을 쓴 셈이다. 헛돈 쓴 것만 문제가 아니라 아이들이 헛 자라서 능력도 헛된 것이 더욱 큰 문제다.

이렇게 모두 선행학습을 했으면 전 세계를 선행해나가야 하는데 그렇게 못하는 것만 봐도 알 수 있다. 바로 현재 세계가 원하는 인재와 지금 우리가 교육하는 현실이 맞아떨어지지 않기 때문이다. 우리나라는 인재로 먹고살아야 하는 나라인데 인재가 없다면 이건 매우 심각한 문제다. 현재 기업이 상위 1%의 인재에게 요구하는 조건은 세 가지 정도다. 바로 희소성, 글로벌 능력, 문제해결능력이다. 정말 우리 아이가 커서도 성공하고 독특한 아이가 되기를 바란다면 어떻게 해야 할지 잘 생각해봐야 한다.

엄마에게는 내 아이 하나 잘 먹고 잘 살면서 성공하는 것이지만 기업에게는 인재 한 사람이 어떻게 하느냐에 따라 기업의 흥망이 결정되므로 제대로 된 인재를 기업이 더 원한다. 이제는 고객 마음에 쏙 드는 물건이 아니면 아무 쓸모가 없다. 우리나라 1등조차 별로 의미가 없다. 세계에 진출해서 1등할 수 있어야 한다.

사실 엄마들도 다들 사교육 전쟁이라고 하는 지금의 교육현실이 옳다고 생각하지는 않을 것이다. 분위기에 휩쓸려서, 남들이 다 하니까 안 하면 뒤처질 것 같아서 어쩔 수 없이 사교육에 아이를 맡기기도 한다. 그렇지만 아이 교육에서 가장 중요한 것은 부모의 소신이다. 무엇이 옳은 일인지, 우리 아이에게 어떤 교육을 해야 할지 진지하게 고민할 때 나중에 어딜 가나 환영받는 아이가 될 수 있다.

내 아이를 미래의
테마주로 키우는 방법

        IMF 외환위기 이후 기업 풍토가 정년을 보장하지 않는 쪽으로 흐르자 교사나 공무원이 인기직종으로 떠올랐다. 그리고 안정적인 공기업은 '하늘이 주신 직장'으로 추앙(?)을 받는 게 현실이다. 그래서 공기업 입사는 웬만한 대기업 입사보다 더 어렵다. 한 공기업에 강의하러 가서 들으니 그 공기업에서는 채용할 때 토익이나 토플 같은 영어능력 성적표를 보지 않는다고 했다. 사실 토익이나 토플 성적은 대부분의 기업에서 기본적으로 요구하는 것이 아닌가. 담당자에게 그 이유를 물으니 이렇게 말했다.

"요즘 젊은이들은 미친 듯이 영어공부 하잖아요. 다들 기본은 하더라고요. 게다가 실무를 하는 데 토익 600점인 사람이나 900점인 사람이나 똑같습니다. 토익 점수 600점이라고 일을 못하는 것은 아니거든요. 그래서 경험이 많고 고생을 많이 한 사람을 뽑기로 했습니다."

몇 년 전만 해도 영어 하나만 잘하면 그야말로 '장땡'이었다. 영어를 네이티브 스피커 수준으로 잘하면 최고의 인재로 여겼다. 어학연수를 6개월만 다녀와도 다른 경력보다 크게 점수를 받았다. 영어를 잘하는 사람이 필요한데, 드물었던 만큼 영어를 잘하는 사람은 희소성을 인정받을 수 있었다. 하지만 요즘은 대학생들은 물론이고 초등학생까지도 틈틈이 어학연수를 다녀온다. 그리고 대한민국은 영어유치원부터 전화 영어수업까지 영어교육의 천국이라 마음만 먹으면 세계 최고 수준의 영어교육을 받을 수 있다. 유치원생들 때부터 영어를 공부하니 지금은 영어를 잘해도 희소성을 인정받지 못한다.

우리가 매일 열었다 닫았다 하는 냉장고에 빗대어 예를 들어보자. 몇십 년 전에 냉장고 살 때 꼭 "이거 문 잘 닫혀요?"라고 물어봤다. 옛날에는 냉동실문을 닫으면 냉장실문이 열렸기 때문이다. 옛날에는 그런 기본적인 것도 잘 안 됐다. 그래서 그때는 기능과 기술만 좋으면 됐다. 하지만 지금은 기능과 기술만으로는 경쟁할 수 없다. 요즘 냉장고 살 때 가장 많이 따지는 부분이 디자인이다. 냉동실문을 쾅 닫는다고 냉장실문이 들썩이는 문제나, 성에가 끼는 문제는 기본적으로 없어졌다. 그래서 요즘엔 냉장고를 바꾸고 싶어도 고장이 안 나서 못 바꾼다.

냉장고가 디자인을 보는 시장까지 왔다면, 그다음 시장은 어디로 가겠는가? 가족의 건강을 챙겨주고, 말하는 냉장고로 가지 않을까? 가족의 손때가 가장 많이 묻는 곳이 냉장고 손잡이다. 아이들 방문은 생전 안 열어보는 남편도 집에 들어오면 한 번쯤 냉장고문은 열어본다. 남편이 냉장고 문을 열 때 "며칠 만에 들어오셨네요. 방금 부인이 냉장고를 이용하셨는데 화나신 것 같아요. 잘 풀어주세요"라고 이야기하는 것이다. 다이어트하는 딸이 냉장고 손잡이를 잡으면 냉장고가 "2킬로그램 빠지셨군요. 앞으로도 파이팅입니다. 칼로리가 낮은 채소샐러드가 준비되어 있어요"라고 말하는 세상이 곧 올지도 모른다.

상상력이 좀 과하다고? 사실 지금 우리 기술은 그곳을 향해 가고 있다. 그리고 지금 세상이 원하는 인재는 '말하는 냉장고'를 상상할 수 있는 사람이다.

아이가 희소성을 가질 수 있게 하라

세상이 영어를 잘하는 인재에게 목말라했던 것처럼 지금은 창의력이 높은 인재를 원한다. 그런데 우리 교육은 여전히 '문 잘 닫히는 냉장고를 만드는 교육'에 머물러 있다.

우리나라에서만 공부한 사람 가운데 훌륭한 미술가, 제대로 된 역사학자가 나오지 않는 데에도 다 이유가 있다. 미술, 음악도 공식화되어 있기 때문이다. 창조성이 중요한 미술과 음악에서도 기능과 기술에 집중해서 대학입학 시험을 위한 스킬을 배우기 때문이다.

몇 년 전 아는 분 딸이 미대 입시에서 몇 번 떨어지고 프랑스로 유학을 떠났다. 미대를 들어가려면 실기시험으로 데생을 보는데, 고등학교 1학년 때부터 죽어라 석고상만 그려댔다고 한다. 요즘은 많이 달라졌다고 하는데 그 당시에는 줄리앙, 아그리파, 비너스… 돌아가면서 그리는 게 우리나라 미대 입시 준비였다. 서너 차례 대입에 떨어지고는 부모님을 졸라 프랑스로 유학을 떠났는데, 그 학생이 프랑스에 가서는 천재 소리를 들으면서 그림을 그리고 있다고 한다. "오우~ 어떻게 이렇게 석고상을 똑같이 그릴 수 있지요? 대단합니다. 당신은 천재입니다~" 뭐 이런 칭송을 듣고 있다나.

아이에게 스스로 성장할 수 있는 시간을 줘라

창의력은 많이 보고, 많이 읽고, 많이 경험하고, 많이 생각하고, 많이 탐구해야 키울 수 있다. 그런데 우리 아이들에게는 그럴 시간이 없다. 학교 공부해야지, 학원 가야지, 과외 선생님과 공부해야지, 어제 배운 거 다 소화도 하기 전에 내일 배울 거 공부해야지….

책 읽을 시간을 내는 것도 요즘 아이들한테는 힘든 일이다. 아이들에게 책 많이 읽고 스스로 생각하고 표현하는 방법을 키워주려고 논술시험을 만들었더니 논술시험 잘 보는 방법을 가르쳐주는 고액과외와 학원만 신났다. 또 논술시험에 나올 법한 책들을 일부분만 묶어서 만든 서머리 책도 인기다. 논술이라 함은 글을 읽고 자기 생각을 표현해야 하는데, 그것마저 참고서로 해결한다는 것은 결국 대한민국 전체가 공식화된 교육으로 돌아가고 있다는 것을 의미하기도 한다. 문제집만 보는 아이들, 정답을 맞히는 방법만 배우는 아이들이 정서적으로 성장할 수 없는 것은 당연하다.

나중에 좋은 대학 붙어서 읽으면 되지 않느냐고? 책은 읽어야 할 시기에 읽어야 효과가 있다. 예닐곱 살에 읽어야 할 신데렐라 이야기를 20세에 읽으면서 "신데렐라야, 너 구두 벗겨졌잖아" 하고 발을 동동 구르며 내용에 폭 빠질 수 있을까?

한 대학 교수는 요즘 아이들이 영어를 너무 못한다고 했다. 요즘 애들 토익에 토플 공부를 기본으로 하고, 또 기업에서 듣던 이야기와 달라 물었더니 "엄밀히 말하면 영어를 못하는 게 아니라 국어를 못하는 거죠. 요즘 학생들 한국말로 된 책도 제대로 이해 못합니다. 논술시험용 참고서 보고, 인터넷에서 요약해놓은 것 출력해서 봅니다. 만날 서머리만 보고 남들이 해석 달아놓은 것만 보니 원서 못 읽는 것은 당연하죠" 했다.

떠먹여 주는 교육을 받아서 자기 스스로 학습하거나 공부할 줄 아는 학생이 드물다는 얘기도 했다. 스스로 공부해가는 과정에서 얻는 것은 학문 그 자체만이 아니다. 공부하면서 문제해결능력도 함께 키워지는 것이다. 살다보면 돌발 상황의 연속 아닌가. 그런데 지금 아이들은 그것을 헤쳐나갈 능력을 키우지 못한다.

우리나라는 다른 나라들이 200년 걸려 해낸 성장을 40년 만에 해냈다. 자원도 부족하고, 전쟁도 치렀으며, 땅덩어리와 민족이 갈라진 상태에서 우리가 고속성장을 이룰 수 있었던 것은 사람이 있었기 때문이다. 우리 세대에서는 디자인까지 생각하는 인재를 육성했다. 그런데 지금과 같은 방식이라면, 상상력이 필요한 시대에 걸맞은 콘텐츠를 만들어낼 인재는 없을 것 같다.

콘텐츠를 잘 관리하는 사람들은 콘텐츠를 많이 경험한 사람들일 텐데 지금은 가공된 콘텐츠를 소비하는 능력밖에 없는 기획된 아이들만 자라고 있기 때문이다.

지금 당신에게 필요한 건
강력한 CEO 마인드

평균수명이 길어지면서 부모가 자녀의 환갑잔치에 건강하게 참석할 수 있게 되었다. 놀라운 일이 아닐 수 없고 기쁜 일이 아닐 수 없지만 한편으로는 내 노후는 어떻게 해야 하나 싶은 생각이 들기도 한다.

실제로 부모가 오래 산다는 것이 자식에게 도움이 될 수도 있고 짐이 될 수도 있다. 오히려 오래 살아서 악영향을 줄 수도 있다. 40년 동안 약값 대라고 하는 부모가 될 수도 있다. 끝까지 자식에게 도움을 주는 사람으로 남기 위해서는 지금부터 준비해야 한다. 평균수명이 긴

만큼 미리 준비해야 한다.

여행을 떠나도, 1박 2일 떠날 때는 아무 준비 안 하고 가도 되지만, 9박 10일 정도 여행을 갈 때는 떠나기 전에 여행 갈 준비, 집안 단속, 여행 가서 뭐 하고 지낼까, 뭐 입을까 하는 것까지 다 준비해야 한다. 결론적으로 우리는 부모 세대보다 훨씬 더 긴 노후를 보내야 하므로 그냥 되는 대로 사는 것이 아니라 경영 마인드를 가지고 인생을 경영해야 한다.

경영마인드란 비전과 동기부여 능력, 변화관리 능력이 아우러지는 것이다.

가족의 비전을 세워라

첫 번째는 비전이다. 비전은 목표점이 분명한 꿈을 말하는데, 여기에는 반드시 계획이 수반되어야 한다. 도표를 그려 가족, 나, 경제와 같이 내가 이루고 싶은 목표점을 1년, 5년, 10년 후로 세분해서 생각해볼 필요가 있다.

이런 사람이 있다고 하자.

"나는 1년 안에 운전면허를 딴다. 5년 안에 일본을 도시별로 20회 이상 여행한다. 10년 안에 일본어를 마스터한다."

31세에 이러한 계획을 세운 이 사람은 어떤 비전을 가지고 있었을까? 이 사람은 일본 관광객 가이드를 하고 싶었다. 그래서 31세 때 이런 계획을 세웠고, 40세가 되었을 때 한국에 들어오는 일본 관광객을 대상으로 가이드 일을 시작했다.

친구 어머니 가운데 한 분이 친구가 중학생이 되자 느닷없이 붓글씨를 배우겠다고 하셨다. 온 집 안에 화선지를 펴놓고 먹 냄새를 풍기면서 열심히 배우시더니 나중에는 붓글씨만 아니라 동양화도 그리기 시작하셨다. 친구는 "무슨 취미생활을 그렇게 독하게 하냐?"며 집 안에 풍기는 먹 냄새를 싫어했다. 그런데 나중에 엄마가 30주년 기념 전시회를 한다고 해서 가보니, 집에서 화선지 펴놓고 할 때는 별것 아닌 줄 알았는데 전시회장에 걸려 있는 걸 보니까 엄마가 달라 보였다고 했다. 그러고는 "지금이라도 붓글씨 시작할까 봐. 나중에 나도 전시회를 해야 하지 않겠니?" 하며 자기 엄마를 자랑스러워했다. 실제로 내 친구 딸은 다른 사람에게 "우리 할머니는 서예가예요"라고 자랑하고 다닌다.

위에서 얘기한 두 사람에게는 공통점이 있다. 바로 비전을 머릿속으로 생각만 한 것이 아니라 눈에 잘 띄는 곳, 책상 앞이나 부엌 싱크대 같은 데 써 붙여놨다는 것이다.

나도 회사에서 직원들과 함께 매년 초에 올해의 비전을 함께 쓰고 벽에 붙이는 작업을 한다. 10년 계획, 1년 계획, 이달의 계획, 그 주에 할 계획표도 짜는데, 우리 회사는 내 것뿐만 아니라 직원들 것도 잔뜩 있다 보니 벽이 남아나질 않는다. 비전을 잠시 잊어버리고 있다가도 벽을 한 번 훑으면 벽에 붙어 있는 종이가 나를 괴롭힌다. "너 이거 한다더니 지금 뭐 하는 거야?"라고 나에게 말을 건다.

미국의 한 대학에서 특정 연도에 졸업한 학생들을 대상으로 조사 했는데, 졸업생 가운데 3%가 자기 꿈이나 비전을 써놓았다. 30년 뒤 그 3%의 재산이 비전을 써놓지 않은 97%의 재산을 모두 모은 것보다 많았다고 한다. 자신의 비전을 명확하게 알고 그것을 항상 챙긴 사람 들이 사회적으로 성공했다는 것을 보여주는 조사결과였다.

가족에게
동기를 부여하라

히딩크 감독은 원래 선수 출신이었다. 그 가 명감독이 될 수 있었던 이유는 자신이 골을 못 넣어서 선수들이 겪 는 슬럼프나 어떨 때 골이 잘 안 들어가는지 잘 알았기 때문이라고 한 다. 최고의 감독은 자기가 공을 잘 차는 사람이 아니라, 공을 잘 찰 수 있게 해주는 사람, 즉 선수들을 격려하고 이끌어주는 사람이라고 한다.

보험회사 소장도 동기부여를 잘하는 사람이 성공한다. 사실 자기 가 데리고 있는 직원이 계약을 잘해올 때 하는 칭찬은 누구나 할 수 있 다. 그런데 영업에 자신 없어 하는 사람, 실의에 빠져서 그만두려는 사 람을 다시 일으켜 세우는 일은 아무나 할 수 없다.

나도 동기부여를 잘하는 보험회사 소장님을 한 번 만난 적이 있다. 그분은 영업소를 1년 안에 3~4개씩 늘릴 정도로 대단한 사람이었다. 그래서 그분은 카리스마 넘치는 사람일 거라고 생각했는데, 만나보고 깜짝 놀랐다. 평온한 표정으로 사람을 편안하게 해주는 사람이었던 것이다. 설계사들은 지치고 상처받을 때가 많다. 푸대접하고, 문도 안 열어주고, 약속해놓고 안 나오는 고객도 많다. 아침에 나갈 때는 '잘해야지' 하지만, 들어올 때는 '내가 이 짓을 계속해야 하나?' 하는 생각이 절로 든다. 그런데 이 소장님은 직원들이 그런 좌절감을 느낄 때 다시 툭툭 털고 일어설 수 있게 하는 것을 잘하셨다.

그래서 요즘의 CEO들은 동기부여를 잘하기 위해 대화 스킬도 배우고, 직원들과 운동도 하고, 노래방에서 망가지기도 하고, 함께 등산도 한다. 여성인력이 늘어나니까 어떤 CEO는 여직원들과 쇼핑을 가기도 하고 젊은 직원들과 게임을 하기도 한다. 가족이 다들 밖에 나가서 상처받고 들어왔을 때, 가장 크게 격려하고 응원해줄 수 있는 사람이 아내, 엄마다.

오늘 엄마로서 내 아이에게 동기부여를 잘하고 있는지 한 번 생각해보자. 아이와 대화는 잘하고 있나? 운동을 같이 하나? 노래방에 같이 갔나? 아들과 같이 게임하나? 딸과 쇼핑 가봤나? 하기 싫은데도 해야 하나 하는 생각이 든다면, CEO가 하기 싫어도 직원들에게 맞춰서 동기부여하는 이유를 한 번 생각해보자. 우리 가족의 행복을 위해서 나 자신, 그리고 우리 가족을 동기부여할 수 있는 멋진 CEO가 되기 위해 조금씩 노력할 필요가 있다.

변화관리 능력을
키워라

마지막으로 아내가, 엄마가 CEO가 되기 위해 필요한 것은 변화관리능력이다.

20년 뒤에는 현재 뜨는 직업 가운데 60%가 사라지거나 변형될 것이라고 한다. 굳이 미래 이야기를 꺼내지 않더라도 20년 전에 있었던 직업 가운데 없어진 것은 없는지 한 번 생각해보자. 예를 들어 버스 안내양 같은 직업이 그렇다.

그래서 아이들에게 "너 나중에 무슨 일을 하라"라고 정확히 찍어 주는 것은 가장 잘못된 진로지도 방식이다. 아이가 어른이 되었을 때 그 직업이 없어질지도 모를 일이다. 특히나 요즘과 같이 인터넷이 발달한 세상에서 변화의 속도는 우리가 어릴 때부터 지금까지 겪은 변화 속도와는 비길 바가 아니다.

엄마들은 대부분 미래를 바라보지 못하고 과거에 견주어 자녀교 육을 하므로 자칫 잘못하면 아이의 미래까지 망칠 수 있기 때문에 변화관리능력이 가정 내 CEO가 되기 위한 필수 요건이다.

변화관리를 위해서는 한 달에 책 한 권 보기, 신문 보기 같은 노력 을 계속해야 한다. 이때 주의 사항은 인터넷으로 신문이나 책을 보면 안 된다는 것이다.

인터넷은 중요한 정보를 따라가기 편하도록 되어 있는 것이 아니라 색깔 있는 정보로 사람을 흡입하는 경향이 있다. 아무리 시사정보를 읽으러 인터넷에 접속했다고 하더라도 '연예인 누구 이혼 세 번 해.' 그러면 자기도 모르게 그 기사를 클릭하게 된다. 더구나 '관련 기사 누구 최초로 이혼 심경 밝혀' '상대편과 엇갈린 주장' '누구누구 사실은 가슴성형' 같은 기사라도 반짝거리면 그 기사로 눈과 손이 가게 된다. 그런 기사 다 읽다 보면 두 시간 금방 가고, 그러다 다시 신문을 집는다 해도 눈이 침침해져서 읽지도 못하게 된다.

빠르게 변하는 세상에서 우리 아이와 우리 가족이 행복해지기 위해서 엄마는 예전 어머니들이 그러했듯이 단지 잘 먹이고, 잘 해 입히는 것에만 집중하면 안 된다.

마치 가정을 하나의 회사로 보고, CEO가 회사를 경영해나가듯이 자녀와 남편 그리고 나 자신의 발전을 위해 비전도 세우고, 동기부여도 하고, 세상의 변화를 따라잡을 수 있는 능력을 길러나가야 한다.

여성들의 꿈이 영그는
W.insights Dream House

W.insights에서는 다양한 프로그램과 컨텐츠, 프로젝트로 여성들이 꿈꾸는 성취와 행복, 풍요로운 미래를 지원합니다. W.insights 사이트(www.w-insights.co.kr)와 FEMI 사이트 (www.femi.co.kr)를 통해 누구나 함께할 수 있습니다.

W.insights Dream House **W.insights의 꿈을 보여주는 집**

여성들의 꿈을 현실로 이루어주는 W.insights Dream House는 꿈에 생명을 불어넣는 공간, 서로의 꿈을 응원하는 공간, 지식과 창의력, 열정을 충전할 수 있는 공간, 미래를 창조하는 핵심 역량이 배양되는 공간입니다.

W.insights와의 특별한 만남

여성소비심리전문가과정 2006년 1기를 시작으로 많은 여성들이 이 교육 과정을 통해 '소비 전문가'에서 '마케팅 전문가'로 거듭나고 있습니다. 현재까지 100여 명의 전문가를 배출했으며 이들은 마케팅 관련 교육 과정을 거친 후 입소문 마케팅, 온라인 마케팅, 여성 마케팅을 위한 아이디어 제공, 리서치 등에서 활발한 활동을 하고 있습니다.

Cafe FEMI 국내 최초의 마케팅 컨셉 카페입니다. 아름다운 음악과 향기로운 에스프레소, 부드럽고 달콤한 쿠키가 제공되는 이 공간에서는 '수다'가 '전문가의 아이디어'로 업그레이드됩니다. 여성들의 대화 속에서 건져낸 반짝이는 아이디어가 바로 기업으로 연결되기 때문입니다. 제품 체험단, 테스터 등의 활동으로 다양하고 새로운 제품을 무료로 사용하는 행운도 누릴 수 있습니다.

FEMI 포털 사이트 여성을 위한 애프터서비스가 이루어지는 공간입니다. '내 남자 베스트 샐러리맨 만들기' 'SOS! 김미경 원장님' 등의 코너를 통해 김미경 원장의 라이프 코칭이 이뤄집니다. FEMI 포털 사이트의 회원은 W.insights의 소식과 여성소비심리전문가 과정, Cafe FEMI와 관련된 여러 정보를 얻을 수 있을 뿐만 아니라 각종 이벤트와 리서치에 참여할 수 있습니다.

김미경의 톡콘 토크와 콘서트를 하나로! 살림과 육아, 맞벌이로 지친 몸과 마음에 새로운 에너지를 불어넣어주는 아주 특별한 이벤트입니다. 삶이 묻어나는 진솔한 토크와 음악이 어우러진 콘서트를 즐기는 동안 따뜻한 위로와 넘치는 열정을 충전받게 될 것입니다.

꿈이 있는 아내는 늙지 않는다

1판 1쇄 발행 2007년 9월 28일
    27쇄 발행 2008년 9월 5일

지은이 김미경
펴낸이 안소연

스태프
CEO 한상만
편집기획실 황선영 박선영 오공훈 김숙진 임자영 임경단 | 디자인실 김미정 양설희 윤정아
경영지원팀 고영매 박주실 | 마케팅본부 송현정 천정한 이유빈

외부 스태프
집필지원 이혜경 이지숙 | 편집지원 이상희 홍진희 | 표지 · 본문 사진 W.insights | 제작지원 김태삼

협력업체
출력 경운출력 | 종이 대한실업(주) | 인쇄 · 제본 정민문화사

펴낸곳 명진출판(주) | 출판등록 1980년 2월 27일 제3-31호 | 주소 121-866 서울시 마포구 연남동
369-17 영진빌딩 6층 | 전화 (02)326-0026(代) | 팩스 (02)326-0994 | E-mail: myunggin@chol.com

ISBN 978-89-7677-258-9 03810